LOS SECRETOS DE LA SANTERÍA

COLECCIÓN AGÚN EFUNDÉ

EDICIONES CUBAMÉRICA. Miami, Florida, 1983

AGÚN EFUNDÉ

LOS SECRETOS DE LA SANTERÍA

EDICIONES CUBAMÉRICA
P. O. Box 450353 (Shenandoah Station)
Miami. Florida, 33145. USA.

Library of Congress Catalog Card Number: 78-60113

ISBN: 0-89729-204-9

2nd. edition. Miami, 1983

AL LECTOR:

Este manual fue escrito hace algunos años por AGÚN EFUN-
DÉ pseudónimo tras el que se esconde un respetado y viejo
santero que aún vive en Cuba.

AGÚN EFUNDÉ pretendía decir en lenguaje claro y sencillo
en qué consiste la Santería, cuál fue su origen y cómo se tiran
los cocos y los caracoles, pues deseaba hacer accesible a todos, la religión Lucumí. El libro jamás pudo ser impreso, porque en ese año de 1959, ocurrió un radical cambio político
en Cuba y el gobierno prohibió su publicación.

Página a página, por la vía del correo aéreo, AGÚN EFUNDÉ
envió a manos amigas las cuartillas que constituyen este manual. Con la última página de su obra, llegada recientemente
a esta ciudad, venía una nota que decía: «el gobierno, convencido de que no puede aplastar la Santería, ha decidido no per-
seguirla. Oficialmente niega su existencia, pero sabe que el
número de practicantes crece en Cuba y por conveniencia, prefiere ignorarla. Nosotros estamos preparados. Y si un día comienzan a detenernos, volveremos a practicarla en secreto,
como en los tiempos en que Cuba era una colonia española».

La obra de AGÚN EFUNDÉ, según nos han explicado sus ad-
miradores, no está dirigida a los que lo saben todo, puesto
que nada tienen que aprender, sino a los otros, a la inmensa
mayoría, que ignora lo relacionado con la Santería o que no
ha entendido algún libro sobre el tema, debido a la falta de
claridad en la exposición. AGÚN EFUNDÉ evita siempre ser con-
fuso. Trata siempre de ser claro, sintético, definitivo.

Esperamos que este sencillo manual, dé cumplida respuesta a la pregunta que se hacen tantos miles de personas en
el mundo: «¿Qué es la Santería y por qué cuenta con tantos
fieles?»

LOS EDITORES

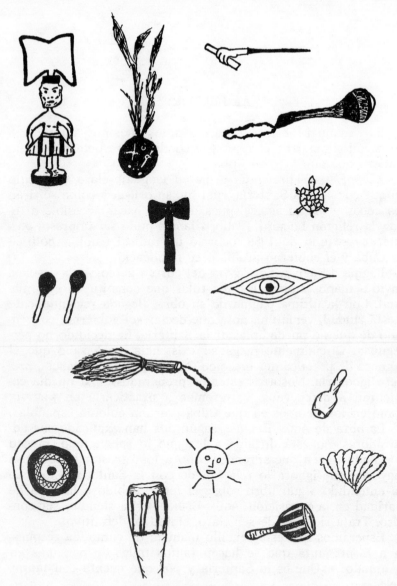

Dibujos —algunos de ellos mágicos o simbóli-cos— de la religión Yoruba, hechos por AGÚN EFUNDÉ.

PRÓLOGO

Este librito tiene el propósito de hacer desaparecer tantas habladurías y supersticiones que andan corriendo por ahí, desde el siglo pasado, acerca de la religión Lucumí. Cada vez que un hombre de la raza de color aparece muerto con cuatro puñaladas, dicen que fue «por cuestiones de brujería». Si un niño se pierde en el campo, no faltan quienes publiquen en los periódicos, que «los ñáñigos lo robaron, para sacrificarlo». No importa que el niño aparezca al día siguiente y lo publiquen los diarios. El mal está hecho, porque ya lo dice el refrán: «Calumnia, que algo queda.»

La Santería no tiene nada que ver con la brujería ni con el ñañiguismo. Es otra cosa. Es una religión que tiene sus raíces en el África. Fue traída a la isla por los esclavos yorubas, que se apoyaban en ella como a un bastón, para no caer vencidos de dolor y nostalgia. En nuestra isla, sufrió transformaciones para poder sobrevivir.

No puede ser débil una religión que se mantiene viva y fuerte, pese a la presión de otras religiones y de otras costumbres. Nuestra religión, como veremos, no es una religión de odio, sino de amor, una creencia que respeta las creencias de las demás y hasta las admite en su seno.

La Santería se basa en la religión Yoruba, que es propia de Nigeria, una región de la costa suroeste del África, donde fueron robados y vendidos como esclavos, cientos de miles de hombres y mujeres. A la isla de Cuba llegaron esclavizados, príncipes y babalawos (o sea, sacerdotes), grandes guerreros y ricos agricultores. Es trágico y penoso decirlo, pero debe decirse: Muchos de aquellos esclavos fueron apresados por sus

7

hermanos de raza, quienes los vendían a los compradores blancos. Otros, eran guerreros, vencidos en una batalla y vendidos por el vencedor. Mi bisabuelo me contaba, cuando yo era pequeño, que él fue apresado por un primo que vivía en una aldea vecina rival. Este primo lo vendió por unas pistolas, unos pedazos de tela y unas monedas de oro. Diez años después, aquel que lo sumió en la esclavitud, llegó al mismo ingenio azucarero, convertido en esclavo. Había sido traicionado por el tratante en esclavos, al que él le suministraba carne negra. Falto de esclavos que enviar a Cuba, se apoderó de todos sus suministradores negros, los metió dentro de un barco negrero y los mandó para la Isla.

Es fácil y a la vez difícil, definir la Santería, porque aunque se puede explicar con cuatro palabras, uno comprende que esas palabras no expresan toda la fe, toda la pasión que encierra esta religión de origen yoruba, que los esclavos transformaron, hasta adaptarla a sus necesidades y ponerla de acuerdo con las exigencias de la religión católica, que imperaba en el país. La Santería empezó a formarse hace más de tres siglos y nació, el día que la religión católica comenzó a influenciar a la religión Yoruba. Es una religión en la que creen actualmente muchos cubanos y está formada en un 90 por ciento por creencias basadas en la religión Yoruba, y un 10 por ciento por creencias católicas.

Esta religión de origen yoruba, también es conocida con el nombre de *Regla de Ochá. Ochá* quiere decir *Santo* en lengua Lucumí. Es decir *La Regla de Santo.* Lucumí era la palabra con que fueron conocidos en Cuba los esclavos yorubas, debido a que los pobrecitos negros venidos de Nigeria, al suroeste del África y que hablaban el yoruba pero no el español, cuando veían un blanco, por miedo a un castigo, siempre decían: «lu-kumí», que quiere decir: «Yo soy amigo». Otros afirman que *Lucumí* viene de la palabra yoruba *Akumi,* zona de Nigeria de donde trajeron muchos esclavos. Los españoles y criollos llamaban a estos esclavos «akumí». Luego fueron cambiando la palabra por Lucumí y finalmente todo esclavo yoruba fue conocido como «Lucumí». En esto, nadie está de acuerdo, como tampoco en otras cosas.

Lo que quiero dejar bien claro es lo siguiente: que *Lucumí* fue el nombre que los blancos dieron a los negros que venían de Nigeria. Y que la *Santería*, o religión Lucumí es una mezcla de nuestra religión Yoruba con los ritos y las tradiciones de la Iglesia Católica. La Santería no adora a un solo santo, sino a muchos santos.

Todo lo que les he dicho, explica perfectamente por qué el que cree en la Santería, no es enemigo del catolicismo, por el contrario, lo respeta profundamente.

Nuestra religión, es el reflejo de nuestro modo de ser, de nuestro carácter. Es como somos nosotros, los de la piel oscura o la piel canela: apasionados, violentos, generosos, abnegados, caprichosos, burlones como los niños y sobre todo, con una inmensa alegría de vivir, que no nos quitaron ni siquiera las cadenas con que trajeron del África a nuestros antepasados.

AGÚN EFUNDÉ

«Garabato». Se hace con una rama
congrada arrancada de un palo del
monte. Lo usa el Eleggud para cas-
tigar o para guiarse.

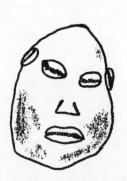

«Elegguá» hecho con concreto y caracoles. Debe situarse en el lugar
conveniente para proteger el hogar.

MIS DIOSES SON MI ÚNICO TESORO

¿Cómo se sentiría usted, si fuera un sencillo hombre de campo, con una mentalidad primitiva, acostumbrado a una vida sencilla y a guerrear solo para defender lo que posee, si un día, inesperadamente, lo apresaran sus hermanos de raza o esclavistas árabes o blancos, le llevaran encadenado hacia la costa y le maltrataran si se quejaba o caía al suelo o pedía agua? ¿Cuál sería su reacción al ver la canoa más grande que hubiera visto usted en su vida? ¿Cómo se sentiría al ser embarcado en la canoa, dejando atrás la mujer, los hijos, el padre, los hermanos, la tierra, los animales de labor, la tierra cultivada? En cuestión de horas o de días, usted lo ha perdido todo. No es nada, no es nadie, no tiene ni nombre. Lo han marcado con un número o con un dibujo, como si fuera una res.

¿A dónde le llevan? No lo sabe. Nadie sabe nada. Usted no entiende el lenguaje de los que manejan la canoa grande. Su miedo es inmenso según comienzan a morir en el barco los más débiles. Se asusta cuando le hacen salir a la parte superior de la canoa y le tienen allí en la cubierta, tomando el sol y caminando por horas. ¿Dónde está la tierra? ¿Por qué sólo hay mar por todas partes? ¿A dónde van?

Cuando baja al fondo de la canoa y lo encadenan, usted está a solas con sus pensamientos y con su miedo. Para no pensar, llora como un niño. Y para arrancar su miedo se aferra a sus dioses: Changó, Obatalá, Orúnmila —¡sus dioses, tan apasionados y tan humanos!—, porque ellos son ahora su único sostén. Desde entonces usted estará aferrado a ellos, para no dejar de ser quien es: africano, Yoruba y en el pasado, un hombre libre.

11

¿Cuánto dura la pesadilla? El esclavo no lo recuerda. Llegan un día a un puerto. Los llevan encadenados a una plaza y allí los exhiben como si fueran puercos. Hombres blancos, mejor vestidos que los tratantes, discuten con ellos. El esclavo comienza a comprender, viendo las monedas de oro, que está siendo vendido. Alguien al fin le compra y parte con otros que no conoce, hacia algún lugar.

El clima y la vegetación le recuerdan al África, pero este mundo de coches, de viviendas con techos rojos y paredes que no son de tronco o de paja, le asusta. Él es un hombre primitivo y ha llegado a una sociedad civilizada, que le aventaja en conocimientos.

Si tiene suerte y el amo es bueno, quizás la vida le sea llevadera. Si el amo es cruel y el mayoral peor, el esclavo llorará lágrimas de sangre.

Todo es distinto: el idioma, las costumbres, la comida. Ya no es un ser humano que dialoga, sino un animal que obedece al hombre blanco o al mulato claro, que ha llegado a mayoral.

En las noches, alguien recuerda alguna vieja canción yoruba. Otros responden y luego se forma el coro. Alguien toca un tambor y sin saber cómo, porque el ritmo está en su sangre desde tiempos remotos, aquella melodía va tomando forma, compás. Otros tambores se le unen. Y pronto están bailando.

Los amos lo permiten. En las noches cálidas del trópico, es agradable escuchar aquellos coros, aquellos tambores que parecen venir del cielo o surgir de la tierra.

A veces, los jovencitos blancos se acercan, o los niños, con las tatas negras, para verlos bailar. Unos se ríen, otros se abrazan asustados a la tata. Y no falta el blanquito de pelo rubio, que aprende pronto el ritmo y es capaz de bailarlo entre la admiración y las sonrisas de los negros esclavos.

Cuando llueve o hay peligro, cuando alguien enferma de gravedad en los barracones de esclavos, allí están los curanderos negros atendiendo a los enfermos. Es entonces cuando más se recuerda a los dioses africanos. Y a ellos se les hacen ruegos, u ofrendas. O se visita al sacerdote yoruba para que, mediante sus conocimientos, diga cuál es el futuro y cómo debe librarse de enemigos.

El esclavo ha aprendido malamente el español, pero ya se

entiende con su amo. A veces los visita un sacerdote y les habla de un señor blanco de barba oscura, llamado Jesús. Y de una madre que llora junto a la tumba. Jesús es bueno porque murió según dicen, para salvar al Hombre. Y María les recuerda a la madre que está allá en África, quizás llorando por ellos, como lloró María por Jesús.

Ha aprendido a no rebelarse. Si se rebela, será castigado por el mayoral o sus cómplices. Y le harán la vida tan imposible que tendrá que huir monte adentro y convertirse en negro cimarrón. ¡Pobre de él, si es atrapado!

El negro yoruba, hombre de la costa, se encontraba en una avanzada etapa de progreso cuando fue atrapado. Es alegre, divertido y enemigo de la violencia. Prefiere resignarse. Y cuando no le conviene obedecer una orden, finge no entender.

Le han impuesto la religión de los blancos que no acaba de comprender, pues nada tiene que ver con Yemayá ni Ochún. Estos dioses de los blancos no hablan con sus fieles, como los dioses africanos. No se les montan * durante los toques de santo. Son muy buenos y muy dulces. No les gusta nada de las cosas que este mundo da: las comidas, las frutas, los perfumes, los bailes o las mujeres. Son seres que ni siquiera hacen milagros. Seres en honor de los cuales no se puede bailar. Por el contrario, se les adora o se les respeta como a los grandes muertos.

El esclavo piensa que la iglesia cercana, parece más bien una inmensa cripta donde se reúnen los domingos los fieles, a oír al cura hablar en un idioma que ni los esclavos ni los blancos entienden y decir una especie de letanía llamada Misa, en honor del dios. El único que bebe y que come en la misa —muy poco— es el cura. Después de terminada la misa, ocurren breves charlas y los blancos vuelven a sus hogares.

El resultado no se hace esperar: la nueva religión no consigue aplastar la religión de los esclavos, que ha ido tomando forma definitiva, que ha eliminado rituales yorubas que ahora son imposibles de llevar a cabo, que ha olvidado dioses que no tienen razón de ser en Cuba y que ha tomado de las religiones de esclavos de otras naciones africanas, algunas de sus

* *Montarse*: Cuando el dios se posesiona de un fiel.

13

tradiciones. Los viejos sacerdotes yorubas instruyen a nuevos sacerdotes —por supuesto en secreto—. La religión, más moderna, más pujante, influenciada ahora por el catolicismo y por el país en que viven, sigue siendo el único tesoro de los negros. Ella los mantiene unidos, impide que se dejen morir, o que se conviertan en seres sin voluntad, en bestias, como los bueyes que tiran del arado.

Ha ocurrido además un fenómeno curioso: las esclavas negras que trabajan en las mansiones de los blancos, han contado a los niños las lindas historias africanas. Los han dormido, cantándoles nanas africanas. Y estos niños, al crecer, saben mucho de la religión Yoruba. Y hasta creen en ella. Las negras más lindas han terminado en amantes de sus amos blancos. Y estos blancos, en gran parte, han aprendido a respetar a Changó y a no provocar al Elegguá. A los jóvenes les gusta ir en secreto a las alegres fiestas de tambores llamadas bembés, donde los esclavos bailan sin que el cansancio les rinda. Hay blanquitos que se atreven a bailar con ellos, sin importarles que los padres los castigarán. Otros bailarán a alguna distancia, no lejos de los barracones, por lo común, acompañados de algunas mulatas o negras.

La esclavitud es intolerable, pero se han resignado a ella, sobre todo, los descendientes de esclavos nacidos en el país, pues en ciertos aspectos, son de mentalidad más moderna que sus padres. Sin embargo, algo los une: el lenguaje que hablan entre sí, ya muy deformado. Y la religión, muy modificada, pero más fuerte que nunca.

La crisis ocurre cuando la Iglesia prohibe que los negros practiquen su religión. Es despojarlos del único tesoro que poseen. Es obligarlos a creer en un solo dios, cuando ellos tienen muchos dioses. ¿Qué hacer? ¿Olvidar a todos los dioses Yorubas? ¿Permitirían los dioses ser olvidados? ¿No castigarán sin piedad a sus fieles que los abandonan? ¿Por qué creer en un dios y en unos santos que permiten que ellos sean esclavos y que consintieron en el pasado, que los arrancaran de cuajo de la tribu en que nacieron?

Mi bisabuelo me decía cuando yo era niño, que los viejos babalawos le contaban, cuando él también era niño: «Lo mío es mío y nadie me lo quita. Seguiremos venerando a nuestros

14

dioses. Pero a nuestra manera. El blanco es inteligente, pero el esclavo acaba siempre por engañarlo.»

¿Cómo ocurrió la identificación —eso que llaman sincretismo— entre los dioses de la religión Yoruba con los santos de la religión cristiana? Hay muchas versiones. Yo pienso, de acuerdo con lo que sé, y con lo que me dijeron mis mayores, que surgió de una forma natural, espontánea, como una medida desesperada para sobrevivir. Además, aunque los esclavos no querían abandonar a sus dioses, respetaban a los santos de los blancos, que, como dijo un famoso babalawo: «muy poderosos deben ser, cuando los tienen a ellos de amos y a nosotros de esclavos».

Al ocurrir la identificación, muchos esclavos, al mismo tiempo que se consideraban hijos de Obatalá, de Changó o de Ochún, respetaban a la Virgen María, a la Caridad del Cobre o a la Virgen de las Mercedes. Otros, por esa tendencia del africano a creer en muchos dioses, pensaban que: «creer en ellos no hace daño. Mientras más respete y le hagas ofrendas a muchos dioses, estarás mejor protegido».

El fenómeno sucedió muy suavemente. El poderoso *Elegguá*, mensajero de los dioses, pasó a ser el Santo Niño de Atocha. *Ochosi*, el famoso dios guerrero, se convirtió en San Norberto. *Ochún*, frívola y patrona de los que se aman, se convirtió en la Virgen de la Caridad del Cobre. *Changó*, guerrero temible, mujeriego, dios del rayo, pasó a ser Santa Bárbara, etc.

Los esclavos ahora adoraban a Dios, a Jesús y sobre todo a los santos y celebraban en honor de ellos, extrañas fiestas. En mi opinión, nadie engañaba a nadie. Los esclavos habían encontrado una solución muy hábil, muy diplomática, para no cumplir las exigencias de la iglesia católica. Al mismo tiempo se sentían más protegidos, ahora que Changó además de guerrero temible, era una santa de la Iglesia y la lindísima Ochún, tan femenina, era a la vez la Virgen de la Caridad del Cobre. Los santos de los blancos ya formaban parte del panteón de los santos negros. Y el esclavo adoró a Santa Bárbara en público al estilo de los blancos y en privado, al estilo de la Santería. Y le hizo a Santa Bárbara, convertida en la intimidad de su hogar en Changó, los sacrificios y ofrendas que éste pide. Los amos, a través de sus espías sabían algo de esto,

15

o lo sabían todo. Pero salvo contadas excepciones, ellos comprendían que los esclavos no hacían daño a nadie, adorando a sus dioses lucumíes. Por el contrario, después de un buen golpe de santo,* había más paz en el ingenio azucarero o en la hacienda. Para colmo, muchos amos le tenían fe a los babalawos o sacerdotes, sobre todo, a los que usaban yerbas curativas. Más de una madre blanca y aristocrática, recordaba que una madrugada, la vieja criada entró en secreto en el cuarto donde el hijo se moría, desahuciado por médicos blancos. Acompañaba a la criada algún venerable babalawo. Éste, luego de muchos rituales, dio alguna medicina al niño blanco que lo curó. Otra muchacha joven no olvidaba cómo el sacerdote Juan Pedro de la Caridad, consiguió mediante un amuleto, que el ingrato Alberto abandonara a la amante que tenía en La Habana, regresara al pueblo y se casara con ella. En cuanto al cura de la zona, sabía, como los amos de los ingenios azucareros, que tratar de arrancarles la religión a los esclavos, era como pretender arrancarles la piel y el corazón. Si los negros no molestaban a los que creían en el catolicismo, si aparentemente eran católicos, ¿por qué indagar más? ¿Por qué imponer por la violencia la religión y acabar con la paz en la zona? ¿Más sangre? ¿Darle a los enemigos de la trata y de la esclavitud, oportunidad para atacarlos y pedir la redención de los esclavos? ¡No!... ¿Que sería entonces de los ingenios azucareros sin mano de obra negra? ¿De los blancos, que estaban en minoría? ¡Nadie olvidaba lo ocurrido en Haití, donde un día los esclavos se alzaron en armas contra los amos franceses, cometieron atrocidades y se adueñaron del país! Cuba no sería un nuevo Haití. Era preferible hacerse de la vista gorda, y taparse un poco los oídos en las sabrosas noches tropicales, cuando el tambor sonaba unas veces grave y otras, como enloquecido, hablando con sus ritmos a los dioses lucumíes. ¡Ese era el único tesoro que los blancos no podían robarle a los esclavos!

Todos estaban satisfechos. Los amos de los negros, afirmaban que «ya los esclavos habían olvidado sus dioses salvajes». Los curas informaban a las viejas asustadas, que «los negros

---

* Fiesta religiosa donde se tocan tambores.

16

tocaban sus tambores pero creían en Dios». Y los esclavos, por su parte, tenían más dioses que antes: dioses negros como Ochún, que a la vez era una santa católica llamada la Caridad del Cobre. Un dios-guerrero llamado Changó, que a la vez era una santa blanca, conocida como Santa Bárbara. ¡Había nacido la Santería insensiblemente y al parecer, nadie se había dado cuenta!

Olodumare, Olorún u Olofín, nombre con que es conocido el dios Yoruba, creador de todo lo que existe. Se le identifica con Jesucristo, el Santísimo Sacramento o con Dios.

¡AY, MAMÁ, SE ACABARON LAS CADENAS...
AY, MAMÁ, PERO SIGUEN MIS PENAS! *

Los esclavos ganaron su libertad por el año ochenta y pico del siglo pasado. De acuerdo con los papeles que habían firmado los señores vestidos de negro, con barbas y bigotes, eran tan libres como el viento y ya no tenían dueños.

Muchos esclavos habían aprendido oficios. Otros, habían comprado desde hacía tiempo su derecho a ser libres, pagando al amo en monedas de oro, su propio precio. Algunos, dejaron de serlo, por orden expresa de un amo, antes de morir. Una minoría de esclavos estaba capacitada para vivir sin ayuda ajena, pero la inmensa mayoría no sabía qué hacer con su libertad. Como decía mi bisabuelo: «¡qué lindo es ser libre y qué feo tener hambre!». Para una inmensa cantidad de esclavos, la libertad era la pérdida del trabajo y la miseria. Los más viejos, los más díscolos, los más incapaces, quedaron sin techo y sin comida. Otros comenzaron a aprender oficios, pero gran número de ellos, prefirió seguir ayudando a sus antiguos amos, como «hombres libres», a cambio de la comida, el mismo barracón, algunas mudas de ropa. Y de vez en cuando, dinero.

Las criadas viejas, que habían pasado a ser una institución en los hogares y que eran tan queridas como las tías y las abuelas y que hasta daban consejo en graves asuntos familiares, no se apartaron de sus amos, ni querían su libertad, puesto que eran realmente libres desde hacía mucho tiempo. Para ellas, Luisita y Lolita, el niño José Antonio, no eran sus «amitos», eran sus *hijos* o sus *nietos*. Mi bisabuelo conoció a una

* Guaguancó que se cantaba en los solares de La Habana.

19

familia en que surgieron hondas diferencias por la posesión de una criada. La familia *A* fue a pasar el verano en la hacienda de la familia *B*. (Todos estaban emparentados.) Con la familia *A*, iba Titica, que cocinaba como los ángeles, que planchaba como Dios manda y que sabía servir una mesa como nadie. La familia *B* quiso quedarse con ella y le propuso a la familia *A* pagar la suma que exigieran, a cambio de la venta. La familia *A* se opuso, porque además de todas las virtudes que hemos mencionado, Titica tenía un corazón de oro y se había hecho querer. Para colmo, parecía tener mano santa curando empachos y se sabía todos los secretos de las yerbas y palos del monte, pues su abuelo era *Palero* * respetado. La familia *B*, que era riquísima, le ofreció entonces a Titica la libertad, siempre y cuando fingiera desaparecer por un tiempo y convertirse en cimarrona. Titica se lo contó, muy escandalizada, al caballero don Antonio, de la familia *A*. ¡Por poco hay duelo y todo! Esa misma noche, la familia *A* hizo las maletas y se marchó de la hacienda para no volver más. Ni siquiera al acabarse la esclavitud, las dos familias se reconciliaron. Titica vivió cerca de 100 años. Y cuando se murió le hicieron un entierro suntuoso, lo que dio lugar a que dijeran que en realidad, Titica era la bisabuela de dos o tres de la familia, un poco prietos y de pelo rizado. Pero esas eran calumnias. Titica vivió sólo para darle amor a la familia *A*.

No todos los esclavos eran ángeles. Los había que eran demonios. Y ni siquiera el castigo de los mayorales acababa por doblegarlos. No hubo quien los dominara cuando fueron libres. Unos se dedicaron al robo. Otros se unieron a los grupos de bandoleros que infestaban los campos de Cuba. Los más viejos, fingieron ser santeros o babalawos y consiguieron clientela, entre negros y blancos, ignorantes o cultos. Estos falsos sacerdotes comprendieron pronto que muchos de los que le visitaban, querían su ayuda para hacerle daño a un enemigo. Y sin vacilar se entregaron a la brujería, utilizando los métodos que empleaban los brujos haitianos u otros grupos africanos, que trajeron de su tierra natal esa maldición. Para colmo, el ñañiguismo, que empezó siendo tan bonito y con tantos

---

* *Palero*: Sacerdote especializado en yerbas curativas.

lindos planes, había ido degenerando. De aquellos hombres, unidos en secreto para la mutua protección ante toda clase de enemigos y sobre todo del enemigo blanco, con unas normas tan estrictas y severas, que quien no las cumpliera perdía la vida, quedaban pocos. El ñañiguismo era ahora, para muchos negros jóvenes y para algunos blancos sucios * y hasta españoles, el medio para expresar la violencia, para echar guapería, para matar impunemente.

Mientras, los viejos sacerdotes negros seguían adorando a sus dioses africanos, identificados con ciertos santos de la iglesia católica y usaban los caracoles y el ékuele para aconsejar o predecir o recomendar medicamentos. Pero su situación iba siendo más difícil por días. Se les confundía con los ñáñigos y los brujos. Se les detenía, se les perseguía.

Los sacrificios de niños, llevados a cabo por los brujos en los campos y aun en las ciudades, llenaron de terror a la población. Y los sacerdotes lucumíes fueron acusados injustamente de asesinos y de salvajes y hasta de antropófagos. En aquella época, las madres no dejaban solos a los niños pequeños por miedo al secuestro por los brujos y el posterior sacrificio, para utilizar su sangre inocente en prácticas horrendas. Los niños, en aquella época, le tenían más miedo a los brujos que al mismísimo diablo.

La vida del negro trabajador carecía de horizontes o de futuro. En el campo, el trabajo era muy duro. En la ciudad no había empleos y tenían que dedicarse a los menesteres muy humildes. A menudo, en los solares se escuchaba el golpe del tambor y alguien entonaba el guagancó que decía:

Ay mamá, se acabaron las cadenas.
Ayyy mamá, pero siguen mis penas.

Como en el pasado, el único consuelo para sus tribulaciones, consistía en visitar en secreto al santero o al babalawo y pedirle consejo, ayuda o curación.

La fe en el babalawo era tan grande, que cuando un negro enfermaba, si visitaba al médico, tomaba las medicinas que

---

* *Blanco sucio*: El que se mezclaba con negros de mal vivir.

éste le mandaba, pero también los cocimientos ordenados por el babalawo. Se repetía de nuevo el mismo fenómeno: «adoro a Changó, pero también venero a Santa Bárbara. Porque Changó es Santa Bárbara. Y Santa Bárbara es Changó». El paciente pensaba que mientras más medicinas tomara —las de los blancos y las de los negros— más pronto llegaría la curación.

Durante la República, la Santería, cada vez más integrada, continuó adquiriendo fuerza interna, cohesión. La clientela estaba constituida por negros, mulatos y por blancos que pedían turnos especiales. Famosos políticos y hombres de negocios, no tomaban decisiones sin consultar antes a su babalawo. Muchos habían hecho santos. En su mayoría, llevaban resguardos o collares. Estos blancos eran católicos convencidos, pero al mismo tiempo creían en la Santería.

Había santeros buenos y malos. Experimentados y novicios. Humildes y abnegados. Ambiciosos y faltos de escrúpulos. Muchos mezclaron el espiritismo con la Santería. Otros lo ligaron con la brujería. Todo era posible, gracias a la ignorancia del pueblo. La Santería se practicaba en el mayor secreto. La prensa era su enemiga implacable.

Años más tarde, se puso en moda lo africano. Y por supuesto lo afro-cubano. Hombres y mujeres muy serios, comenzaron a averiguar los misterios y secretos de la religión Lucumí. Pero conocieron sólo una parte de sus misterios, porque algunos de ellos no pueden ser divulgados. Otros, no entendieron las informaciones que les dieron los santeros.

El viejo refrán que dice *cada maestro tiene su librito*, puede ser aplicado a los santeros. Todos tienen un cuerpo de creencias básicas, pero cada uno de ellos tiene sus fórmulas propias, que no están de acuerdo con las de otros santeros. Los secretos de la Santería se transmitían en forma hablada. Y eso daba lugar a que se deformaran las tradiciones. Algunos santeros, que tenían facilidad para escribir, anotaron en libretas sus conocimientos y todas las leyendas e historias que habían oído a sus mayores. Existen todavía muchas de esas libretas.

Hacia el año 40 de este siglo, había quienes organizaban bembés para los turistas y ganaban fortunas durante la temporada. Pero a menudo se celebraban genuinos golpes de santo.

Los policías se hacían de la vista gorda. Y a veces muchos de ellos y hasta el capitán de la demarcación, vestidos de paisanos, acudían a las ceremonias. Famoso fue un capitán de policía de uno de los barrios más bravos de La Habana, al que se le montaba Changó en el golpe de Santo. Y este hombre, que no sabía bailar danzón ni son, ni le interesaba la música cubana, bailaba como los ángeles cuando Changó estaba en su cuerpo. Debo decir que lo conocí personalmente. Era hombre muy severo. Blanco puro, rubio, de ojos verdes, hijo de asturiano y de francesa. Fue un día a un golpe de santo, para proceder a la detención de todos los que estaban allí y Changó se apoderó de él apenas entró en el salón. ¡Y a bailar se ha dicho!

Hacia el año de 1950 ya la Santería tiene sus dioses favoritos. Santa Bárbara y la Virgen de la Caridad, Babalú Ayé y Obatalá se dividen el favor de los creyentes. Muchos blancos comienzan a asomarse a la Santería con curiosidad. Los falsos santeros hacen mucho dinero con los caracoles. Y los santeros honestos tratan de eliminar a los farsantes.

¡Es largo el camino recorrido por la Santería o religión Lucumí! Llegó con los esclavos venidos de Nigeria. Se practicó en secreto, para evitar castigos, en lo profundo del monte. Se integró, se refundió con otras religiones africanas, a las que absorbió casi por completo. Se adaptó la suave brisa del trópico y la dulzura del paisaje, a la tierra donde no había serpientes venenosas, tigres, ni leones. Fue convirtiéndose en una religión de amor y de perdón. Amenazada de extinción por la iglesia católica, supo ser flexible de nuevo y tomó del catolicismo aquello que consideraba beneficioso a la religión. Identificó a sus dioses con los santos católicos. Y resurgió ahora con otro nombre: *Santería*.

Pero no habían terminado sus penas. Los ñáñigos, que como hemos dicho, de sociedad secreta de protección para los negros, se había convertido en un grupo de aliados que cometían crímenes por cuestiones de faldas, de juego y simplemente por demostrar que se era muy macho, hicieron mucho daño a nuestra religión.

Los brujos haitianos fueron los que más nos perjudicaron. Llegaban contratados por sus explotadores, durante la zafra

23

azucarera para cortar la caña. Luego no regresaban a sus tierras. A veces, llegaban en secreto en bote. Eran seres ignorantes a los que se les temía, porque conocían muchos venenos poderosos. El brujo fue el símbolo del demonio. Mataban niños para usar sus tiernas carnes o su sangre, en los horribles sacrificios destinados a salvar a un enfermo o provocar una muerte.

Las autoridades no sabían distinguir las diferencias que existían entre ñáñigos, brujos y santeros. Los trataban a todos por igual. Sólo cuando los estudiosos descubrieron toda la fuerza y la belleza de la religión Lucumí, la Santería comenzó a ser mirada con otros ojos. ¡Aún siguen tratando de destruirla, pero no lo conseguirán! El negro jamás se apartará de la Santería. La Santería es África, son sus ascendientes, sus tambores. Son sus dioses, que estuvieron con ellos desde que emprendieron el largo viaje hacia la isla donde serían esclavos. Santería es fe ciega. Los investigadores blancos dicen que es esa fe, la que logra los increíbles milagros que hemos visto realizar a los babalawos. Yo pienso que en parte tienen razón, pero añado, que los dioses africanos tienen poderes que yo no debo explicar ni los incrédulos pueden comprender.

¿Cuáles son los dioses más venerados por los cubanos? ¿Cuáles sus características, sus poderes? ¿Con quiénes se identifican en la religión católica? Eso es lo que vamos a ver ahora mismo.

MUCHOS ERAN NUESTROS SANTOS,
PERO POCOS SON LOS QUE HAN QUEDADO

Esto era algo que me decía a menudo mi madrina, que conocía mucho de estas cosas y que era muy respetada por todos. Los viejos babalaos o «babalawos», como les dice la gente fina, también afirman lo mismo: que allá en África había dioses de todas clases, para todos los problemas y para todos los gustos. Según el viejo babalao Alfonso, su número era mayor que mil. Según mi tío Alfredo, Alfonso exageraba y no pasaban de 300. En esto, cada sacerdote de la religión Yoruba tiene su criterio y yo los respeto, pero parece ser verdad que los esclavos trajeron a Cuba cientos de dioses Yorubas que adoraban.

La vida fue dura hasta para los dioses en la isla. Y de aquellos centenares de dioses quedaron sólo unos cuantos, que no llegan a las tres docenas.

¿Por qué desaparecieron? Pues por muchas razones. Y aquí otra vez los sacerdotes de nuestra religión no están completamente de acuerdo, pues cada uno tiene su teoría.

A mí me gusta la explicación que daba mi bisabuelo. Según él, en África había tantos dioses, porque había mucha gente y porque esa gente estaba dispersa en distintas tribus. En Cuba era distinto. Los esclavos eran pocos, comparados con sus hermanos de raza, allá en África. Y entre esos pocos, sobrevivieron los dioses que eran más populares, más conocidos y queridos. También pasó una cosa curiosa: que muchos devotos de un dios, al empezar a adorar a otro, le dieron al nuevo dios que adoraban, todos los atributos que tenía el dios que antes veneraban. Así por ejemplo, Changó, tiene en Cuba muchos detalles, historias y milagros que no los tenía en África. Otros santos, perdieron en Cuba algunos de sus poderes. O sea, que

25

los dioses africanos se aclimataron a Cuba y tomaron las características que eran las que hacían falta en la isla. Los dioses a los que había que hacerles ofrenda o sacrificios imposibles de llevar a cabo por el esclavo, desaparecieron o se refundieron con otros. Fue, como decía mi bisabuelo: «un quítate tú, pa ponerme yo, que resultó muy beneficioso, porque cuando se terminó aquella cambiadera, sólo quedaban unos 20 y pico de dioses, que eran más fáciles de adorar, de rendirles tributos y de identificarlos con los santos de la iglesia católica. Además, los dioses africanos se volvieron más suaves, más humanos, más compasivos al llegar a Cuba».

Les he explicado todo lo anterior, para que comprendan lo que voy a contarles a continuación acerca de los dioses de nuestra religión. Repito que el refrán «cada maestro tiene su librito» puede ser aplicado a los babalaos. Cada babalao tiene sus fórmulas, sus secretos, sus historias acerca de los dioses, que muchas veces no están de acuerdo en determinados detalles, con las versiones de otros babalaos. Y esto pasa, porque todo lo que se conoció en el pasado de los dioses africanos, se contaba de boca en boca. Y ustedes saben cómo la gente cambia las historias y las agiganta o las disminuye, cuando las cuenta. Los pobres esclavos no conocían el idioma español, ni tenían tiempo para escribir todo lo que se sabía acerca de los dioses u orishas. Además, la religión era cosa secreta de los balalaos y de los iniciados. El pueblo no tenía por qué conocer esos detalles.

Como yo quiero hacer un libro muy simple y claro, sólo mencionaré a los dioses más importantes, sus historias más conocidas, sus características, aceptadas por la mayoría de los babalaos, sus preferencias y su identificación con un santo católico.

Otros, más preparados que yo y que han leído mucho, han escrito o escribirán algún día de estas cosas para la gente estudiosa. Este es un librito dirigido a todo el mundo, que tiene el solo propósito de decir la verdad acerca de una religión muy sana, muy pura, muy sencilla que sólo hace bien y que se conoce con el nombre de *Santería*, o *Regla de Ochá*.

Y empecemos con *Olodumare*, que viene siendo el dios creador de todas las cosas.

OLODUMARE, OLOFÍN, OLORÚN

Olodumare, Olofín o si se prefiere, Olorún, son los tres nombres con que es conocido un dios muy singular de la religión Yoruba. Un dios distinto, que no baja jamás a la Tierra, que nunca se posesiona del cuerpo de ningún creyente.

Según los antiguos yorubas, Olodumare es único y está por encima de todos. Fue el Creador. A él se deben los hombres, los animales, las plantas, los ríos, los mares y por supuesto, el Cielo, la Tierra, el Sol, la Luna y las Estrellas. En nuestra religión se le considera: «el dios más grande de nuestra tierra».

Al acostarse, el adepto le pide a Olofín que lo ayude a levantarse al siguiente día, usando estas palabras que se deben hablar en *lengua*: «*Olofín ewa wo*» («Que Olofín nos ayude a levantarnos»). Y al amanecer y comprobar que estamos vivos, debemos decir: «*Olodumare egbeo*», que quiere decir en español: «Que Olodumare nos dé un buen día.»

En Santería, se piensa que Olodumare es un dios viejo, cansado, que está haciendo trabajos muy grandes y al que no se le debe molestar para pedirle cosas pequeñas. Si uno tiene un problema, como dice el babalao Alfonso: «hay que pedir ayuda al orisha o santo que puede resolver el problema y no a Olodumare».

Se habla poco de Olodumare, porque no tiene sacerdotes consagrados a él. Además, como es tan poderoso, jamás, en las fiestas de honor de los dioses, se adueña de la cabeza de ningún creyente. Pero en todas las ceremonias, es mencionado primero que los demás dioses.

Olodumare no es tan conocido, ni popular como los otros dioses. Dice un Appataki, o patakki (los Appatakis son relatos sobre los milagros y la vida de los dioses) que Olodumare, Olofín u Olorún, a pesar de que era tan poderoso, le tenía un miedo pánico a los ratones, cosa en la que se parecía a muchas mujeres. Olofín se había vuelto viejo y achacoso y los orishas, o dioses, querían sustituirlo y quedarse con el dominio del mundo.

Un día se reunieron los principales dioses y acordaron: «Vamos a quitarle el poder a Olofín porque ya está muy viejo.» En fin, que como se dice hoy día, le querían dar un golpe de estado al dios venerable. Pero había un problema. Que Olofín era temible y nadie encontraba un medio para vencerlo.

Uno de ellos —el appataki se reserva discretamente su nombre— tuvo la idea de darle un tremendo susto a Olofín. «Olodumare se muere de miedo cuando ve a un ratón» —dijo—. «Si le llenamos la casa de ratones, Olofín huirá de ella, nosotros nos adueñaremos de su casa y seremos los dueños del mundo.»

El plan fue aprobado por los dioses, pero ellos olvidaban que Elegguá, otro santo del que hablaremos oportunamente, estaba, como siempre, junto a la puerta y lo había oído todo.

¿Qué hizo Elegguá, el más travieso de todos los dioses? Fue para la casa de Olofín y se escondió detrás de una puerta. Llegaron después los dioses y lanzaron cientos de ratones dentro de la vivienda. Al verlos, Olofín, viejo, temeroso, gritó: «Los ratones me van a hacer mucho daño.» Y corrió hacia la puerta para huir. Pero delante de él, iba Elegguá diciendo: «Párate, Olofín, que ningún ratón te hará daño.» Y al mismo tiempo que gritaba, se iba comiendo los ratones.

Elegguá se comió todos los ratones y Olofín, lleno de furia, castigó a los conspiradores. Entonces le preguntó a Elegguá: «¿Qué puedo hacer por ti?» —Concédeme el derecho a hacer lo que me dé la gana. —Le respondió el dios.

Desde entonces Elegguá es el único dios que puede hacer lo que mejor le convenga, pues Olofín le concedió lo que pedía.

Cuenta otro viejo y hermoso appataki que Olodumare le dio a Obatalá (un dios poderoso) estos mandamientos:

1 — No robarás.

2 — No matarás, excepto en defensa propia o para poder sobrevivir.

3 — No comerás carne humana.

4 — Vivirás en paz con tu vecino.

5 — No desearás las propiedades de tu prójimo.

6 — No maldecirás mi nombre.

7 — Honrarás a tu padre y tu madre.

8 — No pedirás más de lo que puedo darte y estarás contento con tu destino.

9 — No temerás a la muerte ni te quitarás la vida.

10 — Enseñarás mis mandamientos a tus hijos.

11 — Respetarás y obedecerás mis leyes.

Al ser identificado con los santos católicos, los creyentes negros pensaron que Olodumare, Olorún y Olofín, era lo más parecido que existía a Dios, a Jesucristo y al Santísimo Sacramento.

Así que Olodumare, está representado en Santería, por Nuestro Señor *Jesucristo*, El *Santísimo Sacramento*, o el que está por encima de todas las cosas: *Dios*.

La Purísima Concepción o la Virgen de las Mercedes se identifican en Santería con Obatalá, que simboliza la Pureza y la Bondad.

OBATALÁ

Obatalá es un dios muy importante en la religión Yoruba. Obatalá representa todo lo Puro. Está asociado a todo lo que es Moral. Mi bisabuelo decía que los hijos de Obatalá que no se comportaban como el orisha (dios) manda, tendrían muchas penas en este valle de lágrimas. Se le considera el padre de todos. El dios que busca siempre la reconciliación. Que encuentra siempre el mejor consejo. El que nos guía cuando tenemos grandes dificultades y le pedimos ayuda.

Obatalá es muy humilde. Por eso jamás se hace sentir a los demás, ni trata de destacarse entre los dioses Yorubas. Es muy callado, muy tranquilo.

Es la Razón y es la Justicia. Su pureza no puede ser explicada con palabras ni con cantos. Es algo que llega de su inmensa grandeza, al corazón del creyente. Sólo podemos representar esa pureza con todo lo que es blanco.

Según dicen muchas historias antiguas, es hijo de Olodumare, al que mencionamos en el capítulo anterior, o sea, el Supremo Creador. Olodumare le encargó muchas misiones importantes, que siempre llevó a cabo con su habilidad y bondad de siempre.

Los creyentes sabemos que es el jefe de todos los dioses. Por encima de él, solamente está Olodumare. Como es un dios tan viejo, hay una enorme cantidad de historias distintas alrededor de Obatalá.

Una linda leyenda o appataki, dice que Obatalá es el único dios que conoce el lugar donde vive Olodumare. Un día, Obatalá que no es ambicioso, que siempre desea ayudar, llevó a

31

todos los orishas hasta la morada del Ser Superior y consiguió que Olodumare, Olofín, Olorún (los tres son el mismo, con distintos nombres) le entregase a cada dios una parte de su poder. En el reparto, Olodumare quiso que Obatalá fuera el dueño de todas las cabezas. Y si Obatalá gobierna la cabeza, que es la que hace que el humano sea bueno o malo, buen hijo o mal hijo, respetuoso de los dioses y de la ley, si la gobierna, repetimos, es el dios que más autoridad tiene entre todos los orishas.

Debo decirles que en nuestra religión pensamos que muchos dioses u orishas están siempre vigilándonos y protegiéndonos. A veces, por errores y descuidos nuestros, puede cesar esa protección. De esos dioses que cuidan de nosotros, hay uno que es muy importante y se le llama *eledá*, que quiere decir más o menos, *Ángel de la Guardia*. Cada ser humano, de acuerdo con nuestras creencias, tiene varios dioses protectores y un eledá o Ángel de la Guardia *que es el dueño de nuestra cabeza*, es decir de nuestra mente, de nuestros sentimientos, de nuestro modo de ser. Es el Ángel de la Guardia quien nos ayuda, nos guía, nos orienta, porque es el dueño de la parte más sensitiva de nuestro cuerpo: la cabeza.

Los practicantes de la Santería sabemos que tenemos que hacerle sacrificios al eledá o al dios que gobierna nuestra cabeza, para que nos proteja, esté contento y no nos abandone. Estos sacrificios llamados también «dar de comer al santo», se hacen utilizando generalmente sangre de palomas y de guineas blancas.

No quiero dar demasiados detalles, para no confundir al que no conoce de estas cosas, pero deben recordar que cabeza en la Regla de Ochá o Santería, es algo importantísimo. Cabeza está relacionado con todo lo santo, con todo lo divino. Cuando alguien se inicia en Santería, siempre, imprescindiblemente, se le asienta su cabeza o santo, mediante ritos especiales. Si el iniciado tiene la fortuna de tener a Obatalá como dueño de su cabeza, es decir, como su Ángel Guardián o protector, puede ser poseído por cualquier otro dios. O sea, los hijos de Obatalá, que lo tienen por Ángel Guardián, pueden ser poseídos por Changó, por Ochún, etc., todos dioses muy conocidos de la religión Yoruba.

Obatalá tiene el poder para ayudar a cualquier creyente, que enfrenta problemas con algún dios. Si ustedes no entienden esto, se los diré más claro. La relación entre el creyente y los dioses, en nuestra religión es más directa que en otras religiones. Nuestros dioses, a veces son apasionados como los seres humanos. Y hasta pueden ser injustos. En esos casos, se le pide ayuda a Obatalá y éste intercede con el dios que está furioso y logra calmarlo y resolver el problema.

Obatalá es el dueño de todas las partes blancas del cuerpo. Se le identifica casi siempre con la Virgen de las Mercedes, aunque algunos prefieren la Purísima Concepción.

Como ya dijimos, su color es el blanco. El zapote, la flor del algodón y el ñame, pertenecen a este orisha. El día de la semana en que reina, es el jueves. Se le sacrifican entre otros: ñames blancos, zapotes, babosas y aves blancas. Le encanta una pasta que se hace con arroz molido. Se vuelve loco por unos tamales bien hechos y por los frijoles de carita. Odia las bebidas alcohólicas y no come ni cangrejos ni judías.

La fruta que más le gusta es la guanábana. Su árbol, o palo sagrado, es el amansa guapo. La yerba predilecta, Chamiso. El único condimento que acepta es la manteca de cacao. Y el agua que prefiere, es el agua de lluvia.

Recuerden que son de Obatalá: la serpiente, que debe ser de metal blanco o plateado; una mano de plata que sujeta una especie de corona. El Sol, la Luna, cuatro manillas de plata y dos huevos de marfil, también son atributos del orisha poderoso.

S. FRANCISCUS ASSISIENSI

San Francisco de Asís es en la religión Yoruba el bondadoso Orúnmila, el orisha o dios que simboliza el Futuro, la Adivinación.

ORÚNMILA

Éste es uno de los dioses más respetados en nuestra religión. Y se explica. Es el orisha que más sabe, el que puede decirnos el futuro. Y el que puede impedir que nos hagan daño.

A Orúnmila se le conoce también como *Ifá*. Y aquí en Cuba, se le llama muchas veces *Orunla* y a veces se le dice *Orula*, sobre todo, por los viejos creyentes.

Orúnmila, que es uno de nuestros dioses más antiguos, fue creado por Olodumare, al poco tiempo de formar el mundo. Y dicen las viejas historias, que el dios supremo, o sea, Olodumare, lo envió a la Tierra a poner un poco de orden, cosa que logró, porque antes que él llegara, todo estaba envuelto en un caos muy grande.

Otro appataki, o sea, historia de los dioses, dice que desde que llegó a este planeta en que vivimos, Orúnmila se ocupa de todo lo relacionado con el destino de las personas, los embarazos, los partos, el cuidado de los niños y sobre todo, el manejo de las hierbas que le gustan a los orishas y también las yerbas que curan.

Mi bisabuelo me dijo cuando yo era chiquito: «Orúnmila guía no sólo el destino de nosotros los seres humanos, sino también a los dioses. Él está allí, sin que nadie lo vea, en el mismítico momento en que nace un niño. Y en ese momento, conoce cuál será su destino. Por eso, cuando alguien tiene problemas o está enfermo, le pide ayuda a Orúnmila, porque es el único orisha que sabe cuál es el futuro del consultante. Además, Orúnmila, que es tan bueno, muchas veces aconseja yerbas que curan o tuerce un poquito la vida, para que no le caigan a uno desgracias o calamidades que muchas ve-

35

ces no merecemos. Es muy grande, mijo. Con su ayuda, nada es imposible. Porque Orúnmila todo lo puede conseguir. ¡Imagina si lo podrá conseguir todo, que se habla de tú por tú, con el único al que muy pocos pueden llegar: el grandioso Olodumare. Orúnmila es el intermediario entre los pobres seres mortales y nuestro Ser Supremo: Olodumare.»

Orúnmila es un gran médico. Y los únicos autorizados para hablar con él, son sus sacerdotes, de los cuales los más importantes son los babalaos o babalawos. Un buen babalao necesita muchos años de estudio, de sacrificios. Debe conocer todos los secretos de las yerbas. Y debe saber interpretar los mensajes que le envía Orúnmila a través del *Ékuele*, que es un collar especial que ellos usan para preguntarle al dios y conseguir sus respuestas. También Orúnmila se comunica con ellos, gracias al tablero de *Apón Ifá*, al que muchos babalawos llaman *Opón-Ifá*. El tablero siempre se hace con madera dura y puede tener distintas formas. En este tablero, es donde celebran los ritos los babalaos (sacerdotes de Ifá, u Orúnmila). Los sacerdotes, en las viejas tradiciones, vestían siempre de blanco, y se depilaban todos los pelos del cuerpo.

Aquí, en nuestra patria, Orúnmila es tan respetado como lo fue en África por sus antepasados, cuando eran libres. Ifá u Orúnmila, lo sabe todo. Por eso se le conoce como el «Orisha de la Sabiduría». Es el dios de los oráculos. El único que puede predecir el destino y aconsejar curaciones y medicinas. Sus sacerdotes dicen que sólo Ifá puede decidir la buena o la mala suerte que un humano puede tener en la vida. Mi madrina me decía que Orúnmila no le tenía miedo a la Muerte. Y me contaba el siguiente appataki o historia del dios: Un día, una mujer lo visitó hecha un mar de lágrimas y le dijo: «Ikú (la muerte) le está dando vueltas a mi casa. Está allí. Se quiere llevar a mi único hijo. La fiebre lo está matando. Y en cualquier descuido, a lo mejor, Ikú entra y me lleva el niño. ¿Qué debo hacer?» Orúnmila le sonrió y le dijo: «no llores buena mujer, compra cuatro cestos llenos de quimbombó y llévalos para tu casita, que yo estaré esperándote». La mujer cumplió las órdenes de Ifá y cuando llegó con las cestas llenas de quimbombó, ya el dios aguardaba. Sin pérdida de tiempo Ifá regó el quimbombó por el suelo. Y antes de marcharse, le dijo a la madre angustiada: «Ikú no podrá hacerle daño a tu hijo.» Vencida por el sueño, la madre se quedó dormida. La fiebre le subió al niño. Y la Muerte, o sea, Ikú, pensó que ya era el momento de llevárselo. Entró en la casa, pisando como siempre pisa, silenciosa, pero firmemente. ¡Pero quién les dice a ustedes, que cuando sus huesos duros pisaron todo el quimbombó, lo reventaron! Y el quimbombó, como todos sabemos, es muy baboso. El quimbombó empezó a soltar la baba, según lo iba reventando Ikú con sus huesos. Y formó una babilla tan resbalosa como el jabón. De pronto la Muerte perdió el equilibrio y gritó: «Ay, que me caigo, carijo, que me caigo.» No encontró donde agarrarse, se cayó al suelo y por poco se le desarman todos los huesos. Furiosa, adolorida, avergonzada, la Muerte huyó de allí, maldiciendo a la madre, a Orúnmila y al niño y decidida a no volver, «para que por culpa del quimbombó yo no vuelva a caer al suelo».

Los santeros y los babalaos conocen el destino o las tragedias y males de los creyentes que van en busca de su ayuda, gracias a Orúnmila, que les habla por los caracoles, el ékuele y el Apón-Ifá. El creyente debe seguir los consejos que les da Orúnmila con la ayuda de sus sacerdotes. Y quien no los sigue, tendrá muchos problemas en la vida.

A este dios se le hacen sacrificios con ratas, chivos, cerdos, gallinas prietas y otras aves. Le gusta mucho el ñame machacado. La fruta de su predilección es la ciruela. Su comida preferida, es el pargo. Su bebida: el vino blanco. Sus colores son el verde y amarillo. Su palo sagrado: la guayaba. La yerba que se asocia con él, la salvia. Su collar está hecho con cuentas verdes y amarillas.

Orúnmila *no baja*, es decir, que en las fiestas o actos religiosos, jamás se posesiona de los seres humanos. Es demasiado importante para entrar en el cuerpo de un ser humano. En las fiestas religiosas, el toque número 18 del tambor, es en su honor. Como Orúnmila tampoco baila, puesto que no baja, lo hacen por él, las sacerdotisas de Ochún, otra diosa, que según veremos y según cuentan las viejas historias, es su esposa.

En la religión católica a Orúnmila se le representa por el bondadoso *San Francisco de Asís*.

Santo Niño de Atocha, que en la religión Lucumí es identificado con Elegguá, viejo dios de los yorubas, que es el mensajero entre el hombre y los dioses, el guardián del hogar y del camino.

ELEGGUÁ

Elegguá es otro de los dioses antiguos en nuestra religión. También se le conoce con el nombre de *Echú*. Por su inmensa importancia, es el primero en ser llamado en todo acto religioso o en las fiestas. También es el último en despedirse.

Elegguá siempre anda con un palo que tiene una forma especial y con el que castiga. Este palo es conocido con el nombre de *Garabato*.

Para muchos, allá en África, Echú era una especie de diablo. Para otros, no. Estos últimos consideran que Elegguá es un dios travieso, inquieto, majadero, del que uno nunca sabe qué es lo que va a hacer. Como tiene tantos poderes y los maneja a su antojo, se le teme, porque a veces puede hacer mucho daño.

Elegguá, según viejas tradiciones, es una especie de dios que goza de toda la confianza de Olodumare y es el que se encarga de informar al Ser Supremo de lo que pasa en este mundo y de lo bueno y lo malo que están haciendo los hombres. Es el mensajero natural que utilizan los humanos para comunicarse con los orishas. Es el que cuida los caminos. El que le cuenta a Olodumare quién se porta mal y quién no hace los debidos sacrificios. El que protesta cuando los sacrificios no se hacen en la forma debida.

Elegguá es muy travieso; es como un niño grande. No hay nada que le agrade más que usar sus poderes para crear confusiones. Puede ser generoso, y puede ser apasionado. Puede ser justo e injusto. Para mi tío Alfonso, Elegguá era: «el dios que representa la Casualidad, la Suerte. Cada ser tiene su

39

destino, pero Elegguá con su influencia, puede cambiar ese destino, esa suerte».

Elegguá cuida los templos, las ciudades, las casas. Y todo el que crea nuestra religión y aun los que no creen, tienen detrás de la puerta de la casa un Elegguá, casi siempre hecho de cemento con tres caracoles, que simulan los ojos y la boca para que proteja a todos los que viven allí.

En nuestra isla, Elegguá es muy respetado, porque se le considera «el dueño de los caminos». Con Elegguá hay que estar siempre a bien, porque es muy entrometido, lo sabe todo, y es muy apasionado. No se le debe provocar, porque como dicen los viejos babalaos: «te cierra entonces todos los caminos que llevan a la Esperanza y a la Felicidad».

Yo conocí a un viejito que conocía mucho de nuestra religión y una vez me dijo hablando en *lengua*: «Yo he visto a Elegguá. Es, como dicen, un niño, pero tiene la cara de un viejo. Usaba un sombrero de yarey y se fumaba una buena breva que olía a buen tabaco.»

Elegguá puede disfrazarse de príncipe. Pero a lo mejor también se disfraza de pordiosero. Y lo hace para conocerlo todo o para hacer travesuras. Como es el mensajero de Olodumare y de los dioses, todos le respetan. Es muy amigo de Changó, de Ochún y de Ogún. Es uno de los mejores guerreros de nuestra religión y cuando se une a Ogún y a Ochosí no hay quien los venza. Es dueño de la llave del cementerio. Y esto lo hace todavía más temido, porque él puede decidir, si quiere, quién debe entrar y quién no.

Elegguá debe ser halagado cuando uno visita a un sacerdote, pues según viejas historias es un gran adivino y fue quien le enseñó a Orúnmila los secretos de la adivinación. Hoy, es portero de Orúnmila. Por eso hay que congraciarse con él, porque cuando se consulta a Orúnmila y no se trata con el debido respeto a Elegguá, éste puede indignarse y cerrar el camino a los dioses benéficos y abrírselos por ejemplo a Ekú, que es la muerte.

¿Por qué Elegguá tiene tantos poderes? Los viejos appatakis dicen que hace mucho, pero muchísimo tiempo, el Ser Supremo, o sea Olodumare, se enfermó y ningún Orisha pudo curarlo. Nadie sabía qué era lo que tenía la Suprema Deidad.

Pero Elegguá, que es un gran médico, desde que vio al Creador dijo: «Yo sé cuál es su mal. Y sé cómo curarlo.» En poco tiempo Olodumare se curó y en agradecimiento Olodumare le dijo: «Desde hoy serás el dueño de los caminos y puedes hacer cuantas travesuras quieras.»

El collar de Elegguá está hecho de cuentas rojas y negras. Le pertenecen los trompos, las bolas y los papalotes, pues como dijimos, es un niño-viejo muy juguetón. Sus colores son el rojo y el negro. Y este último, simboliza lo malo y la muerte. El garabato, del que ya hablamos, le pertenece. Le gusta comer chivos pequeños, pollos negros, jabados y colorados. Es tan comelón, que es capaz de mortificar mucho, para que le den de comer. Le gusta tanto el aguardiente de caña, que a veces se puede lograr que ceda, en cosas a las que se niega, a cambio de una buena cantidad de aguardiente bueno.

Para Elegguá, es el primer toque de los tambores en las fiestas religiosas o en las diversiones, pues él tiene que ser siempre el primero. Cuando se posesiona de un creyente, es decir, *se sube*, va hacia la puerta, que es su lugar, porque es el guardián del templo o del hogar. Y allí está haciendo travesuras, bailando, o amenazando con el garabato.

Su fruta preferida es la caña de azúcar. Le encanta el ñame. Su palo sagrado es el «abre camino». Su yerba, el ítamo real. Sus comidas preferidas, pescado y jutía ahumada.

A Elegguá se le identifica con diferentes santos cristianos, entre ellos San Bartolomé. Otros dicen que es el Ánima Sola del Purgatorio. Pero en nuestra patria, al Elegguá se le identifica con el *Niño de Atocha.*

Changó, el dios del trueno y de la tempestad en la religión Yoruba, tiene su representación en una virgen: Santa Bárbara.

CHANGÓ

Changó es, posiblemente, el más popular de todos los dioses lucumíes. Es el dios del trueno y de la tempestad. Es la violencia, pero es también la comprensión. Cuando ataca, es rápido e implacable, pero como la tormenta tropical, pronto pierde su furia.

Los viejos babalawos me confesaban que a su entender, Changó era tan popular en nuestra patria, porque de todos los dioses, es el que más se parece al cubano, el que más puntos de contacto tiene con el negro y con el mulato. Mi tío Alfonso no piensa así. Él, con otros viejos religiosos, cree que «lo que pasa con Changó, es que la gente le tiene miedo a su poder inmenso. Cuando Changó se suelta, todo el mundo se tiene que echar a correr». Yo no opino como mi tío. A un santo no se le adora por miedo, sino por devoción. Creo, como los viejos babalaos, que Changó se parece al cubano y al negro. Es posiblemente, con la inolvidable Ochún, una de sus tres esposas, el más humano de los dioses de la religión Yoruba.

Nuestros dioses, no me canso de repetirlo, no son como los otros dioses de las religiones que conozco. Nuestros dioses son como espejos, donde se reflejan los seres humanos. Tienen pasiones, rencores, odios, violencia, como los hombres. Y a veces hacen cosas, que los humanos no hacen. Changó y Ochún, como veremos oportunamente, más que dioses, parecen amigos, vecinos que conocemos. Lo que los diferencia, son los grandes poderes con que cuentan y la devoción que despiertan entre los hombres y mujeres de nuestra patria.

A Changó también se le identifica por los nombres de *Jakuta* y de *Obakosó*.

43

Obakosó quiere decir en *lengua*: «el rey que no se ahorcó». Y se le llama así de acuerdo con viejos appatakis o leyendas, que más o menos dicen lo mismo: Changó, que era tan mujeriego, tenía por aquella época dos esposas. Además, entonces era un poco duro con sus fieles. Y éstos lo acusaban de ser un déspota.

Todo eran quejas contra Changó, que antes de ser dios fue rey en ciertas partes de África. Como las discusiones y las riñas de las dos esposas, le ponían de mal humor, y como además, los súbditos del reino se pasaban la vida protestando, Changó, que no es de los que piensa mucho las cosas, se montó en su caballo y dijo: «Me voy al bosque. No me busquen más.»

En el palacio pensaron que pronto se le pasaría la rabieta y le esperaron pacientemente. Pero viendo que no regresaba, fueron a buscarlo. No lo encontraron por parte alguna.

Entonces empezaron los chismes. Y hubo gente que dijo: «Changó se ahorcó. Abochornado de ser mal rey y mal marido, se colgó de la rama de un árbol ayan.» Los rumores siguieron, pero es el caso que el cuerpo de Changó no aparecía. Cientos de guerreros, de súbditos recorrían el bosque gritando: «¿Dónde estás Changó?... ¿Dónde estás? Dinos si te has ahorcado.»

Los gritos de sus súbditos preguntando si se había ahorcado, impacientaron más a Changó, que estaba vivo y subido a lo alto del árbol ayan, que es hermoso y abunda en África. El dios gritó molesto: «No me he ahorcado, ni me ahorcaré jamás.»

—Baja Changó, baja. —Le gritaban sus súbditos—. Pero el rey les respondía: «Si vuelvo, empezarán de nuevo las quejas de mis súbditos y las peleas entre mis esposas, que ahora lloran mi ausencia y se han convertido en amigas. ¡No!... Me he convencido de que a mi pueblo lo debo gobernar de lejos. Los gobernaré desde el cielo.»

Entonces comenzó a subir por una cadena que iba del árbol ayan hasta el cielo. Y allá está Changó, en el cielo, con los otros orishas, aunque ahora ya no gobierna, sino que es un dios que vela por los humanos y desde allá arriba castiga, lanzando piedras en formas de rayos que matan, provocando explosiones que hacen volar en pedazos hasta ciudades enteras, quemando a los árboles o provocando tempestades.

Durante las fiestas que se celebran en honor de Changó, este dios, que usa un hacha de dos filos muy temida, baja a bailar con sus fieles. Y para hacerlo, se posesiona de algunos de sus hijos y baila como un trompo. Sus danzas son provocativas y varoniles. Y en ellas blande simbólicamente su hacha llamada Oché y su famosa espada. En estas fiestas se le sacrifican chivos, toda clase de aves, nueces de Kola y pescado seco.

Aunque la furia de Changó produce terror a muchos, son más los que le adoran por su modo agradable de ser y por lo generoso que es con sus hijos. Es el temido dios del rayo, del fuego, de la tormenta. Pero también se vuelve loco por el baile, la música y los tambores. Es divertido, jactancioso, provocador. Y al único al que respeta un poco entre los orishas es a Elegguá, porque con éste, no se juega. Tampoco, por supuesto, se atreve a tirarse con Olodumare el Supremo Creador. Las mujeres lo enloquecen. Las aventuras le encantan. Bebe como un salvaje cuando hace falta. Y peleando es incansable. Siempre gana. Como ustedes pueden ver, Changó se parece en muchas cosas a los cubanos.

Changó siempre está en lucha con Ogún, el dios de los metales, del que hablaremos oportunamente. ¿Por qué existe esta pelea entre los dos dioses? Muchos appatakis o leyendas cuentan la historia de distinta manera, pero todas están de acuerdo en que el padre de Changó era un dios africano muy respetado y poco conocido en Cuba. Ogún era uno de los hijos de este dios. Changó era el hermano menor y no fue criado por su madre, sino por una medio hermana. Cuando Changó preguntaba: «¿Por qué no me cría mi madre?» nadie le respondía. Todos se miraban y quedaban callados. Tampoco le respondían cuando preguntaba: «¿Por qué mi padre no ha tenido más hijos?» Pasaron los años y cuando Changó se hizo hombre, una vieja sirvienta le contó la verdadera historia: su madre no le había criado, porque su padre la castigó con la muerte, ya que tuvo relaciones incestuosas con Ogún, que como dijimos, era uno de los hermanos mayores de Changó. El rey no quiso tener más hijos, por miedo a que le naciera otro varón ingrato como Ogún. Changó se enfureció y llevado por su carácter violento y por su amor a las mujeres, decidió tomar venganza. La venganza consistió en quitarle la esposa a Ogún. La esposa de Ogún, que huyó con Changó, era Oyá, de la que pronto conocerán la historia. Como Ogún amaba a Oyá, no perdonó jamás a su hermano. Desde entonces son enemigos irreconciliables y se pasan la vida peleando.

Este appataki confirma lo que ya les dije: que los dioses a veces hacen cosas en nuestra religión, que no hacen los humanos.

Pero sigamos hablando de Changó. Como es tan mujeriego tiene tres esposas: Obá, Oyá, que fue mujer de Ogún y Ochún. También se dice que la diosa Yemayá es la madre adoptiva de Changó. Y así, cuando el dios se enfurece, se les pide ayuda a las tres esposas y a la madre adoptiva, para calmarlo.

En África, el refugio y el trono de Changó es el árbol ayan, pero como no existe en Cuba, los babalaos y santeros decidieron que lo fuera nuestra erguida palma real. Los devotos de Changó apoyan su frente contra el tronco de la palma cuando quieren su consejo, porque como decía mi bisabuelo: «Changó nos habla desde la palma y nos dice en lenguaje que sólo nosotros entendemos, qué es lo que debemos hacer.»

A Changó se le representa con la imagen de *Santa Bárbara*, Virgen y mártir, patrona de los artilleros y bomberos.

Los hijos de Changó, elegidos por éste como sus futuros sacerdotes, cuando nacen, tienen una cruz en la lengua. No se les puede cortar el pelo hasta que cumplan los 12 años, porque de lo contrario perderían sus poderes para adivinar. Se les conoce por el nombre de *Bamboché*, pues así se llama el mensajero de Changó.

Este dios es representado también por la imagen de un guerrero que usa una espada en una mano y en la otra, un hacha. Sobre la cabeza lleva un adorno formando un hacha doble.

El collar de Changó está hecho con cuentas rojas y blancas que se colocan alternadas. Su color es el rojo. Su número el 4. Y se celebran fiestas en su honor el 4 de diciembre, que corresponde en el santoral católico a Santa Bárbara. Es un comelón insaciable. Su esposa, Oyá siempre le tiene preparado grandes platos de harina de maíz y carnero. En las fiestas en las que se posesiona de algún creyente, le brinda comida a los asistentes. Y luego reclama sacrificios a cambio de los alimentos. No olviden que la fruta preferida de Changó es la manzana. El vegetal que más le gusta, es la pitahaya. Su palo sagrado: el palo Ayan que como dijimos crece en África. Su yerba, el Jaguey. Le gusta el vino tinto. Como otros dioses, usa como condimentos la manteca de corojo.

Changó es temible cuando se enfurece. Pero también es temible cuando ataca a los enemigos de sus hijos. ¡Que se cuiden los que atacan a los protegidos por el dios, porque cuando Changó se llena de rabia y la furia lo ciega, es implacable con los que hacen daño a sus hijos!

*La Caridad del Cobre, Santa Patrona de la Isla de Cuba, es iden-
tificada en Santería con Ochún, dueña de las aguas dulces, del
dinero y patrona de los enamorados.*

OCHÚN

Los viejos y los jóvenes creyentes, la consideramos la más bonita de todas las diosas de nuestro panteón Yoruba.

Se le adora en Cuba y se le identifica con la idolatrada Caridad del Cobre, patrona de nuestra isla. Ochún y la Caridad son la misma, aunque a la vez son diferentes, porque mientras la primera es alegre, coqueta y dicharachera en la religión Lucumí, no lo es así en la religión católica. La Santísima Patrona de Cuba es una diosa a la que los católicos acuden llenos de fe, de respeto y de devoción.

Para los que creemos en esta diosa, cuando se trata de la religión Lucumí la vemos como la diosa del río que lleva su nombre en África, como una de las esposas del valiente Changó. Nos llenamos de emoción cuando baja y se posesiona de alguno de sus hijos, durante una fiesta religiosa en que suenan los tambores. Pero cuando vamos a la iglesia, y la vemos con su lindo manto, su corona y los tres marineritos en el bote, sentimos otro tipo de emoción religiosa. Y la vemos como a Ochún, pero manifestándose de distinta manera: Como la Santísima Caridad del Cobre. Y cuando la hacemos un ruego, le hablamos como a una madre o a una amiga y le decimos bajito con las palabras del pensamiento: «Cachita, no me abandones en este mal momento, ayúdame a ser fuerte y ampárame, para que todo salga bien.»

Ya les he dicho, que como no hay tradición escrita, todo el pasado de nuestros dioses, se contaba de viva voz, de padres a hijos. Y eso hizo que las historias se deformaran. Como veremos oportunamente, muchos creyentes consideran que Oyá fue la esposa favorita de Changó. Otros consideran que la preferida fue Ochún.

Dicen los viejos appatakis, que aunque Changó tuvo muchas esposas, Changó siempre prefirió a Ochún. Y que luego de alguna aventura amorosa, volvía arrepentido y triste, a buscar consuelo en los brazos cálidos de esta diosa, que era un río muy famoso en la tierra de nuestros mayores: el África. Mi bisabuelo me repetía a menudo: «esto lo saben todos los viejos, desde los tiempos más remotos: que las tres mujeres de Changó: Oyá, Ochún y Obá lo adoraban. Y cuando Changó se murió, las tres lloraron sin consuelo. Y lloraron tanto, pero tanto, que sus ojos se convirtieron, primero en manantiales de lágrimas y luego, en ríos. No olvides nunca que el cocodrilo es animal del río. También viven en el río, muchos peces. Allá, en la tierra de mis mayores, el caimán es considerado sagrado, porque vive en el río en que se convirtió Ochún. Y los peces, son los que llevan sus mensajes y le traen noticias. A Ochún se le deben hacer sacrificios en el río o en algún lugar donde haya agua dulce. Le gustan los conejos, los chivos y las aves. El cobre es su metal. Y su collar de cuentas debe ser hecho con las que tienen el color ámbar».

Como ya les contamos al hablarles del dios Orúnmila, muchas historias de santos lucumíes, dicen que éste era el esposo de Ochún. Según una de esas historias, Ochún era la muchacha más linda de la región y todos le decían: «Cásate conmigo.» Ella no respondía, se sonreía y caminaba con esa gracia en las caderas, que sólo ella tiene. Era tal el acoso, que la mamá de Ochún, un día le dijo a sus enamorados: «Ella tiene un nombre secreto que nadie le conoce. El que lo averigüe, se ganará el corazón de mi hija y será su esposo.»

Dice la leyenda que uno de sus enamorados era nada menos que Orúnmila, el dios de los oráculos, el que puede decirnos el futuro, el que más sabe. En este caso, Orúnmila no podía averiguar cómo se llamaba en secreto la muchacha más linda de la región. Entonces le pidió ayuda a ese dios travieso, llamado Elegguá, el dios que le entregó todos los secretos de la adivinación y que hoy es su portero. Orúnmila le dijo a Elegguá: «Averigua el nombre de la muchacha que tiene rotos todos los corazones de los hombres. Sólo tú, Elegguá, que eres tan hábil y travieso, puedes conseguirlo.»

Disfrazado unas veces de viejo, otras de niño, haciéndose unas veces el bobo, y otras, fingiéndose dormido, Elegguá estaba siempre cerca de la casa de Ochún, tratando de averiguar cuál era su verdadero nombre. Y como la paciencia siempre tiene su recompensa, un día la madre de la diosa, que jamás decía el nombre en voz alta, parece que porque estaba molesta con ella, la llamó a gritos diciéndole: «Ven acá, Ochún.» Apenas Elegguá oyó el nombre se dijo: «Ochún es su nombre secreto y eso le costará el dejar de ser soltera.»

Sin pérdida de tiempo, Elegguá se reunió con Orúnmila y le contó lo que había averiguado. Orúnmila, que era ya por esa época un sacerdote muy respetado, fue adonde estaba la madre de la muchacha linda. Y cuando estuvo reunido con ella y su mamá, dijo: «Vas a ser mi esposa, porque sé tu nombre: te llamas Ochún.» Los dos se casaron y fueron felices por algún tiempo... pero...

Otras historias tan respetadas como esta anterior dicen lo contrario; dicen que Ochún de quien fue esposa fue de Changó. Según este appataki, ella, como en la otra historia, era linda y enloquecía a los hombres. Pero no se fijaba en ninguno, hasta que un día vio a un tocador de tambores muy bien parecido. Ochún al verlo se dijo: «Este hombre será mi esposo.» El que tocaba el tambor como él sólo sabe hacerlo, en aquel «güemilere», que quiere decir «fiesta» en nuestra lengua, era ni más ni menos que Changó. Los amigos del dios le dijeron: «La más linda de todas, Ochún, te está coqueteando. Enamórala.» Changó sonrió y les respondió: «Me sobran las mujeres y no quiero compromiso por ahora.»

¿Pero quién puede resistirse a los encantos, a la gracia, a la sandunga y la coquetería de Ochún? ¿Quién puede dejarla pasar, después que la ve caminar o sonreír con los labios húmedos y carnosos? Y este Changó mujeriego, que trató tan fríamente a Ochún, al conocerla se fue interesando en ella. Y mientras más se interesaba en la diosa, menos interés mostraba ella en él, porque así son todas las mujeres, aunque en el fondo de su corazón lo quería. Un día, Changó le dijo: «Si no me das tu cariño, me voy a hacer la guerra y no vuelvo más.» Por miedo a perderlo, Ochún le respondió: «No te vayas. Te quiero de siempre. De toda la vida. Y seré tu esposa.»

Los dos se casaron y fueron muy felices. De esos amores nacieron los Ibellis, de los que hablaremos más adelante. Pero como Changó, por su carácter, siempre estaba metido en líos, una vez tuvo problemas tan graves, que todos le abandonaron, hasta sus amigos. En aquella época, Ochún se había distanciado de Changó por culpa de sus amoríos. Pero al saber que estaba pobre, sin tener que comer y sin amigos, volvió con él, le consoló, le lavó la ropa y le cocinó. Eran tan pobres, que Ochún sólo tenía un vestido, que se puso amarillo de lavarlo tanto. Gracias a la lealtad de Ochún y el ánimo que la diosa le dio, Changó logró tener fe en la vida y sintió deseos de luchar. Entonces volvió a ser poderoso. Y jamás olvidó a Ochún, su esposa predilecta. Según este appataki, las devotas de Ochún se visten de amarillo, para recordar que son hijas de la diosa y para decir a todos, que como esposa son o serán fieles y leales en las buenas épocas y en las malas también.

Ochún es la dueña de las aguas dulces. Y ella es la reina de la dulzura. El color de su piel es como el ámbar. Y le gusta bañarse desnuda en los manantiales.

Ochún es la consejera y la amiga ideal para los problemas amorosos, y para los líos económicos, porque ella que es todo sabrosura, además es la dueña del dinero. Y esta diosa, puede dártelo o puede quitártelo. Depende, de tu comportamiento, que te castigue o te premie. Le gustan mucho las fiestas. Y nunca se le ha visto llorar. Como el cobre es su metal favorito, a veces se representa a la diosa con un güiro adornado con plumas y unos centavos americanos de cobre. El coral es su preferido. Su bandera, es amarilla. El sábado es su día, y es el día en que los amantes sin muchas esperanzas, deben enamorar. El cinco es su número. Su mensajera en Cuba es el aura tiñosa. Y con sus plumas se hacen abanicos para que la diosa se eche fresco. Hoy día los devotos prefieren usar las plumas del pavo real.

Cuando se posesiona de un creyente que ha ido a una fiesta religiosa, se ríe a carcajadas y se vuelve airosa. Sus devotos le saludan con unas palabras muy populares en Cuba, aunque muchos hasta ahora, no han sabido su significado: *Yeye Dari, Yeyeo*, que quiere decir: «La dulce, la amable.»

La fruta que más le gusta es el canistel. El vegetal de su preferencia, es la calabaza. Su palo sagrado, el Palo Rosa. Su yerba, el girasol, su comida favorita: *ochin-chin* (camarones con espinacas). Y la bebida que más le gusta: La manzanilla. Adora la miel de abeja. Y el agua de río la hace feliz.

De todas las diosas, Ochún o sea, *La Caridad del Cobre*, patrona de Cuba, es la que más devotos cuenta en nuestra querida patria.

Nra. Virgen de la Candelaria
de Cauna

*La Virgen de la Candelaria es identificada por los devotos de la
Santería con Oyá, dueña del cementerio y diosa de las tempestades.*

OYÁ

También es conocida con el nombre de Yansan. Es la dueña de la puerta del cementerio. Se le considera una esposa ejemplar y una diosa muy valiente. Según los viejos appatakis, es una de las esposas de Changó.

Los africanos que llegaron a Cuba, recordaban a Oyá, como la diosa del río Niger, que recorre las tierras de los yorubas.

Muchas viejas historias religiosas afirman que Changó tuvo tres compañeras: Oyá, Ochún y Obá. Las tres diosas, son diosas de los ríos.

Cuando yo era niño, a la luz de las lámparas de luz brillante o keroseno, oía a mi bisabuelo hablar de los dioses yorubas. Y unas veces yo reía, otras temblaba de miedo, o me estremecía de admiración. Recuerdo que él, que sabía mucho de estas cosas, nos decía siempre que Oyá debe ser muy respetada y venerada, no sólo porque es una diosa buena, sino porque además es la esposa de Changó y sobre todo, porque tiene un valor que ya quisieran muchos hombres. Oyá es una diosa que está al lado de Changó en la hora de los grandes peligros. «Oyá nunca abandona a Changó —decía mi bisabuelo—. Es, como las diosas y las mujeres deben ser: leal y fuerte. Y cuando el hombre flaquea, debe darle ánimo. Si Changó tiene a Oyá a su lado, Changó no es vencido ni comete errores.»

¿Cómo es Oyá? Viejas leyendas cuentan que tiene una cara tan terrible, que el que la mira, queda ciego o loco. Por eso nadie, si sabe que tiene enfrente a Oyá, la mira. Otros appatakis dicen, que de pelear tanto junto al marido en las guerras, le creció una barba grande. Pero mi bisabuelo se aferraba a las historias que dicen que Oyá es alta, linda, distinguida, que camina de un modo altivo y sin embargo, no por eso deja de ser sencilla y sobre todo muy atractiva. Mi bisabuelo usaba este argumento para explicar por qué Oyá no puede ser fea, ni tener barba: «A Changó sólo le gustan las mujeres lindas. Es un dios que sabe escoger a las más bellas. Un día tuvo que escoger entre dieciséis diosas que querían ser esposas de él. Y Changó prefirió a Oyá. ¿Por qué? Porque era la más vistosa, la más dulce, la mejor compañera.»

Si Changó es el dios del trueno, Oyá es la diosa de las tempestades y de esos vientos fuertes que lo arremolinan todo y que hasta tumban los árboles en el monte. Es la única que tiene el poder de dominar a los muertos.

El símbolo de la diosa es la lanza. Pero muchos prefieren representarla con objetos de metal, que recuerden el rayo que todo lo destruye.

En las fiestas religiosas, si se posesiona de algún fiel, baila sólo danzas guerreras. Sus bailes son muy movidos y maravillosos de contemplar.

Los africanos que trajeron a Oyá a Cuba, tuvieron que adaptarla a las necesidades y realidades de nuestra patria. En Cuba no podía ser la diosa de un río, porque excepto el Cauto, no existen grandes ríos en nuestra nación. Fue por eso, que por esos milagros de la transformación, a que obligan los realidades y las exigencias de la vida, Oyá fue cambiando con el pasar del tiempo, hasta convertirse en la diosa de las tempestades y de los vientos fuertes. Muchos, la asocian con los rabos de nubes, las centellas, el rayo y hasta con los vientos plataneros.

A Oyá le gusta mucho la guerra. Hay viejos sacerdotes del culto, que dicen que «es más peleona que el propio Changó». Yo soy de los que creen que Oyá es tan violenta y apasionada como su marido.

Antes de seguir adelante, debo aclararles que en nuestra isla no se considera a Oyá como la primera esposa de Changó, sino como la segunda.

Un viejo appataki dice: «Changó se casó con Oyá, porque era una mujer-soldado muy valiente y más eficiente que los rotos guerreros que le rodeaban. Oyá se le hizo indispensable. Y un día para premiar su lealtad, la hizo su esposa.»

Como ya les hemos contado, Changó es enemigo a muerte, de su hermano Ogún. Y cada vez que puede, le ofrece pelea. Las viejas tradiciones dicen que es Oyá la que enciende la mecha de la pólvora cuando empieza la guerra entre los dos hermanos. Mi bisabuelo decía: «Cuando empieza la tormenta, lo primero que vemos son chispas. Es Oyá, encendiendo la pólvora. Después sentimos los truenos. Es Changó que hace mucho ruido cuando obliga a galopar a su caballo por el cielo. Y los extraños sonidos que se oyen después y que van muriendo poquito a poquito, los hace Ogún preparando sus hierros (armas) para la pelea.»

De todas las historias que conozco de Oyá, la que recuerdo más es, una que le oía a los viejos babalaos cuando era niño. ¡Y miren que ha llovido desde entonces! Según ese appataki, una vez Changó se vio rodeado por enemigos que le buscaban para matarlo. Changó había perdido su caballo Echinle, que es tan famoso. Huyendo y huyendo, llegó por fin al lugar donde vivía Oyá, en una región donde pocos sabían que era esposa de Changó. El oricha le dijo: «Oyá, me tienen rodeado, me quieren ahorcar. Mi rayo no es efectivo hoy contra los enemigos.» «Porque te falta el coraje para pelear.» Le respondió Oyá.

Changó le confesó: «No es que me falte el coraje, es que estoy cansado. Si pudiera escapar de este cerco de muerte y dormir, yo recobraría las fuerzas y los deseos de vencer al enemigo. ¡Ayúdame Oyá!»

En aquella época, todavía Oyá —según esta vieja historia— no participaba de todas las guerras de Changó. La diosa pensó por unos instantes. Y luego le dijo a su esposo: «Cuando caiga la noche te pondrás uno de mis vestidos y te daré las trenzas de mi pelo, para salvarte la vida, mi rey.»

Oyá se cortó sus lindísimas trenzas y se las dio a Changó. Éste, que es tan macho, no sabía qué hacer con ellas. Oyá las colocó hábilmente en la cabeza del dios-guerrero. Y luego le ayudó a vestirse de mujer.

Momentos más tarde, Changó, imitando la dignidad de Oyá, salió de la casita, cruzó cerca del enemigo y saludó moviendo la cabeza, pero sin decir palabras, porque Changó es de voz muy gruesa.

Changó se alejó de allí y logró descansar, recobrando energías y sobre todo deseos de pelear. Encontró al fin su caballo Echinle y entonces se lanzó al ataque, más furioso que nunca, vestido aún como mujer con las trenzas al aire. El enemigo gritó: «¡Oyá se ha convertido en Changó!» Pero pronto salió de dudas y confusiones al ver a Oyá, surgiendo de la casa sin trenzas y armada, decidida a ayudar a su marido mientras decía: «Si Oyá ayuda a Changó, todo sale bien.» El enemigo por supuesto, fue vencido. Y desde entonces Oyá fue la compañera inseparable de Changó en todas las luchas, porque como decía el oricha: «con mi trueno y las tormentas de Oyá, somos invencibles».

Oyá es la dueña del cementerio. Los viejos llaman al camposanto: «Ile yansan». Estas dos palabras, en *lengua* quieren decir: «La casa de Oyá.» Todos los que trabajan con muertos para hacer sus hechizos tienen que pagarle a Oyá un tributo.

Oyá, además de dueña de los cementerios, es la que domina a los muertos. Y cuando alguno vuelve a este valle de lágrimas a molestar a amigos, enemigos o parientes, se le pide ayuda para que impida que el Ser vuelva. También se le hacen sacrificios adecuados, para que la diosa se tome el debido interés en el caso.

Como sabemos, existen cuatro vientos. Pues bien, esos cuatro vientos son dominados por Elegguá, Orúnmila, Obatalá y Oyá.

Sus devotos no le tienen miedo a la candela. Y cuando están en trance, algunos de ellos pueden coger con las manos, carbones encendidos.

Oyá está identificada en Santería con *La Santa Virgen de la Candelaria*. La ceiba es su árbol favorito. Su collar es de cuentas color lila con rayas amarillas, o si no, se le hace con cuentas color marrón, con rayas de colores. Se le llama mediante un güiro llamado *Achere* que está pintado de rojo. Cuando hay enfermo grave, el sacerdote la invoca haciendo sonar una vaina llena de semillas secas de flamboyán. A la diosa le gustan las palmas. Le agrada el tamal hecho con frijol de carita. En las fiestas, cuando se posesiona de algún fiel, usa un traje de cretona floreada y en la frente se pone una linda cinta de varios colores.

Su color es el carmelita rayado. Su fruta, el caimito. Su vegetal, la berenjena. Su palo sagrado, «el sabe lección». Su yerba predilecta el manto. Le gustan las chivas y las gallinas. Su bebida es el cheketé.

Changó es querido y admirado por todos. También lo es Oyá, por buena esposa, por valiente y por generosa. Como dueña del cementerio, muchas veces, movida por su bondad, ha permitido a muchos de sus hijos, que debían entrar a descansar, quedasen por algún tiempo más en la tierra, para darle paz y felicidad a sus familiares.

La famosa Yemayá de la religión Yoruba, reina suprema de las aguas saladas, es identificada con la Virgen de Regla, patrona del puerto de La Habana.

YEMAYÁ

La venerada Yemayá, es la diosa de las aguas. Y muchos en nuestra religión la consideran la primera madre del mundo. Hay imágenes africanas de Yemayá, talladas en madera, que la presentan como una mujer entera, llena de vida, con un vientre desarrollado, y con unos senos muy grandes, porque se encuentra embarazada. Esta imagen simboliza la Fecundidad que le permitió ser la madre de todos.

Yemayá, conocida también como Yemanyá, es muy venerada en nuestra religión Lucumí. Cuando los dioses Yorubas tuvieron que ser representados por santos de la iglesia, nuestros viejos sacerdotes la identificaron con la Virgen de Regla, que es como sabemos la santa patrona del puerto de La Habana.

Según las viejas tradiciones, Ochún es una mulata de piel clara y de pelo suave. Pero Yemayá, no. Yemayá es negra como el carbón y su pelo es de pura pasa.

Mis abuelos decían que las fiestas que celebran en el pueblo de Regla en honor de Yemayá, eran para no olvidarse nunca y que todo el que vivía en La Habana y no iba a las procesiones y las fiestas de nuestra religión, se perdía los momentos más maravillosos de su vida y se ganaba además que los dioses le mirasen con malos ojos. Yo fui muchas veces a Regla. Ni sé cuántas. Y ahora, mientras escribo estas líneas, me parece estar sintiendo en los oídos el sonido de los tambores y el ritmo de los coros, cantándole a la diosa de las aguas, capaz de todos los milagros.

Las historias o appatakis en torno a Yemayá, que es una

diosa tan poderosa y tan antigua, son muchos. Según unos, era la esposa de Ogún. En otros, aparece como madre adoptiva de Changó, del que se enamoró. Otra leyenda cuenta que cuando le fue encomendada la tarea de poblar al mundo de seres humanos, se casó con su hermano Angayú. Y entre los dos cubrieron la tierra con su descendencia.

Uno de los appataki más antiguos, cuenta cómo Yemayá se hizo dueña del mar. Resulta que ella era la esposa de Ogún, el feroz guerrero, amo de los metales. Un día se le apareció Obatalá y le dijo: «Olodumare, la deidad suprema, tiene antojo de comer zapotes. Pero en estos momentos sólo los hay cerca de las aguas de la montaña. Olodumare te encarga la misión de conseguirle los mejores zapotes, Yemayá.»

Era una misión que Yemayá deseaba cumplir, puesto que para ella era un placer hacer feliz al creador, conocido también como Olorún y Olofín. Y además la misión le permitiría demostrar de todo lo que era capaz. Ogún, que en esos momentos estaba en paz con Changó y con otros enemigos, le dijo: «Yo iré contigo, porque me han dicho que el travieso de Elegguá se va a cruzar en tu camino, para no dejarte seguir adelante.» Como ustedes saben, Elegguá es el dueño del camino, un dios juguetón como un niño y astuto como un tigre. Fueron muchas las trampas que Elegguá le tendió a Yemayá, pero el recio de Ogún las fue destruyendo. Resultado: que Yemayá encontró el lugar donde crecían los lindos zapotes. Llenó una cesta con los mejores y emprendió el viaje de regreso, dejando a Elegguá rabioso, porque él, pocas veces fracasa. Olodumare se dio banquete comiendo aquellos riquísimos zapotes. Y como estaba feliz le dijo: «Yemayá, te voy a dar un premio. Desde hoy, serás la dueña del mar y de todas las criaturas que en el mar viven.»

Otra leyenda cuenta que Changó fue traído al mundo por Obatalá, pero que Yemayá fue quien la crió, cuando la diosa, indignada con el hijo rebelde, lo echó de su hogar. Changó, cuando creció, se fue por esos mundos. Y como eran tantas las mujeres que cruzaron por su camino, olvidó por completo la cara de Yemayá. Un día la encontró en una fiesta o güemilere. Y sintió hacia ella una extraña atracción, un cariño intenso, que confundió con el amor y la pasión, aunque era otra: era el cariño de hijo, que, con tantas aventuras como había tenido, se le había olvidado. Changó dejó de tocar el tambor y comenzó a enamorarla. Yemayá, que sabía lo mujeriego que era su hijo de crianza, decidió darle una lección. «Le voy a enseñar a respetar a las mujeres y a no tirarse con ellas, sin conocerlas a fondo —se dijo la diosa y luego añadió: —además le voy a enseñar a ser menos jactancioso y más humilde.»

Cuando Changó insistió en ver su casa, ella le dijo: «Ven conmigo.» Y Changó la siguió, creyendo que sería una aventura fácil. Llegaron a la orilla del mar. Yemayá entró en un bote y señalando muy lejos, donde estaba la línea del horizonte, le dijo: «Mi casa está allá. Acompáñame.»

A Changó empezó a no gustarle aquella aventura amorosa, pero no podía decir que no, ni arrepentirse, porque nunca ha sido cobarde ante los hombres y menos ante las mujeres.

El bote se alejó de la orilla y pronto estuvieron en alta mar.

Entonces Changó descubrió con asombro, que no había tierra visible por parte alguna. Receloso, el orisha preguntó: «¿Quién eres, que tienes fuerzas para impulsar el bote a tanta velocidad? ¿Quién eres, que puedes vivir en medio del mar?»

Yemayá no le respondió. Se lanzó al agua, se fue en busca del fondo. Changó no supo cómo manejar el bote. Además Yemayá le envió una ola más alta que una montaña y cuando Changó la vio venir se dijo: «Yo puedo con los hombres y con las mujeres, pero con esta ola no puedo.» La ola lo llevó al fondo del mar y cuando salió a la superficie, vio el bote y se aferró a él para no ahogarse. Entonces Yemayá, la reina de las aguas saladas, se le acercó. Changó le dijo de muy mala gana: «creo que me vas a tener que salvar, porque veo que nadas como un pez».

—Te salvaré con una condición: que respetes a tu madre. —Le respondió Yemayá.

En esos instantes, Obatalá, la madre de Changó, que había estado presenciando aquella lección que le daban a su hijo, se les unió y añadió: «Tienes que respetar a Yemayá, porque ella también es tu Iyá (madre).»

—Mi madre eres tú. Y un día me echaste de tu casa.

—Yo te traje al mundo, pero Yemayá fue quien te crió. Eres tan olvidadizo cuando se trata de mujeres, que hasta

63

te olvidas de que tan madre como yo, lo es ella de ti... ¡Yo te traje al mundo. Y ella te crió! ¡Tienes dos madres, Changó!

Changó pidió perdón y desde entonces comenzó a respetar más a las mujeres. Por eso Changó trata con tanta reverencia a Obatalá y Yemayá. A menudo dice: «Yo soy el más afortunado, porque tengo no una, sino dos madres.»

A Yemayá se le sacrifican patos. Le encanta el *ekru* que es un tamal que se hace con frijol de carita. Le gustan mucho el carnero, el pescado y las palomas.

Yemayá es altanera, vistosa pero también divertida y cuando se posesiona de algún creyente, le infunde toda su gracia, toda su sabrosura. Le encantan las batas, ceñidas con un cinto y un peto, formando un rombo. Dicen que no hay quien se abanique mejor que Yemayá. Al bailar, recuerda los movimientos que hacen las olas cuando las baten suaves brisas tropicales. Y cuando se encrespan los tambores, parecen ser olas enloquecidas que forma el ciclón.

Su color es el azul. Su fruta, el melón de agua. Su vegetal, el frijol de carita. El *palo jobo* es su palo sagrado. Su yerba, la cucaracha. Le gustan las mariquitas y los chicharrones. Y si tiene que beber, prefiere el cheketé, que se prepara con cáscara de piña y maíz tostado. Adora el melado de caña.

Tan inmensa y pura como el mar, es Yemayá. Y como el mar que todo lo tiene, desde la vida hasta la muerte, así es ella. Para sus hijos, Yemayá sólo tiene el afecto y la ternura, porque ella es la madre del mundo, de acuerdo con nuestra venerable religión.

BABALÚ-AYÉ

Babalú-Ayé o Chopono, era en África un dios muy temido, pero en Cuba fue transformándose en un dios lleno de comprensión y bondad hacia el sufrimiento humano. Babalú-Ayé, en Cuba, sabe más que nadie del dolor que nos abate y siempre nos mira con ojos de compasión.

En la tierra de nuestros mayores, Babalú-Ayé era conocido como Chopono y era un dios muy poderoso, que se enfurecía por cualquier cosa. Su castigo era temido: podía provocar cualquier enfermedad de la piel. La viruela y la lepra eran sus mejores aliadas.

Cuando en África alguien se moría, víctima de la viruela por ejemplo, sus familiares no lloraban. No se quejaban. Por el contrario, empezaban a reírse y a cantar y a bailar. ¿Por qué? Pues porque era tanto el miedo que le tenían a Chopono (Babalú-Ayé) que se aterraban de pensar que el dios se enfureciese de verlos llorar o lamentar la muerte injusta. Los pobrecitos escondían su dolor, bailaban y reían y decían: «Chopono es justo, Chopono es sabio, porque ha librado de sufrimientos al que murió.» Pero todo era mentira. Por dentro de sus corazones iba el dolor y quemándoles el cerebro, el miedo al dios.

Según un viejo appataki que le oí una vez a mi bisabuelo, allá en África, Chopono, era cojo y usaba un palo para ayudarse a caminar. Le faltaba una pierna y usaba una pata de palo. Un día en un güemilere o fiesta que celebran los dioses, Chopono quiso bailar pero como tenía una pata postiza de madera, perdió el equilibrio y cayó al suelo. Los dioses se rieron al verlo. Babalú-Ayé se levantó del suelo y amenazando

65

con su palo a los dioses, les dijo: «todos morirán podridos por la viruela y la lepra». Obatalá, que asistía a la fiesta, le dio una orden a Chopono: «Vete de aquí y no vuelvas. Te prohíbo desde hoy, que te reúnas con los demás orishas.» Según mi bisabuelo, en África se decía que Chopono andaba siempre solo por los caminos solitarios. Y que no pedía ayuda a sus hermanos los dioses, ni éstos se la prestaban en el caso de que los invocara.

Chopono llegó como otros dioses a nuestra isla. Lo trajeron los esclavos. Y al principio se le temía, pero Cuba no era tierra de odios, sino de clima suave y de resolver los problemas por las buenas y no por las malas. Además ¿por qué temer a Babalú, si muchos de aquellos infelices pensaban que algunos dueños de esclavos eran peores y más crueles que el dios y hasta podían contagiar a las mujeres esclavas con una horrible enfermedad casi peor que la viruela, llamada la sífilis?

Babalú-Ayé, para aquellos esclavos sin esperanza, con el alma guerrera dormida, se fue convirtiendo en un orisha de misericordia, de piedad, de bondad. En un viejecito que usa muletas, que tiene llagas y al que siempre acompañan dos perros.

Cuando ocurrió la identificación de los dioses nuestros con los santos católicos, los creyentes vieron en el bondadoso *San Lázaro*, el reflejo pálido de las bondades de Babalú-Ayé.

Los antibióticos son invento reciente. Antes que fueran descubiertos, muchos eran los que morían de viruela, sarampión, infecciones de la sangre, de las heridas, gangrena, etc. Era entonces cuando Babalú-Ayé contaba con más devotos. Allí donde la medicina se cruzaba de brazos y el médico decía: «Nada podemos hacer. Está en manos de Dios», comenzaba la labor de Babalú-Ayé. Los familiares del enfermo iban a la iglesia a hacer promesas o hasta la iglesia del Rincón, consagrada a San Lázaro, a pedirle ayuda al santo milagroso. Otros, por el contrario, pedían ayuda a los sacerdotes de la religión Lucumí. Y muchos le rogaban al orisha y al santo cristiano, para que estuviese más reforzada la petición.

De muchacho padecí una extraña infección de la piel. Y fui curado por mi propio abuelo, quien me ordenó obras de respeto y veneración todos los 17 de diciembre, día que está consagrado a San Lázaro. Entre las cosas que debía hacer, estaba ir a pie, desde el Luyanó hasta el Rincón y allí dejarle mi ofrenda a San Lázaro. En el camino me encontraba con cientos de peregrinos. Y en las últimas etapas, faltando algunos cientos de metros, muchos avanzaban apoyándose en las rodillas desnudas. Yo comprendía que estaba llegando, cuando veía a ambos lados de la carretera, sentados en la tierra, la más increíble colección de enfermos, cojos e inválidos que pudiera imaginarse. Entre ellos había algunos farsantes, como cierto apuntador de terminales que conocía, quien por esos días iba al Rincón y se fingía inválido y se provocaba erupciones con fricciones de ciertas yerbas, para inspirar lástima. «Me busco 100 pesos diarios mi hermano, porque los creyentes son generosos» —me dijo. Yo le respondí que eso era burlarse del dios y aprovecharse de la caridad humana. Él se reía. Murió el pobrecito hace tres años, de una infección que no pudieron dominar los más poderosos antibióticos. Un vecino que conocía sus engaños me dijo: «¡Lo castigó Babalú-Ayé!» Yo le respondí: «Babalú-Ayé no es rencoroso. Murió porque le llegó su hora.» Supe que en su agonía, sufrió mucho el infeliz y no se cansaba de repetir: «esto me pasó por burlarme de los santos».

Hay viejas historias que dicen que Babalú-Ayé es medio hermano de Changó, el famoso dios del trueno. Mi bisabuelo me contaba un appataki, que explica de un modo distinto el motivo por el cual Changó es enemigo irreconciliable de su hermano Ogún. Según la leyenda religiosa, Changó, que era entonces un gran adivino, fue visitado por un leproso lisiado que le rogó: «Dime cuál ha de ser el futuro de este pobre hombre del que todos se alejan.»

Changó lo miró por un instante. Y aunque nunca había visto antes a Babalú-Ayé le dijo: «Tú eres mi medio hermano Babalú-Ayé, que no conozco y del que tanto me habló mi padre. Vete bien lejos, cruza las montañas y al otro lado, serás querido y poderoso, puesto que eres un dios».

—Soy un dios al que ahora le faltan las fuerzas. Para un viaje tan largo necesito protección y ayuda. —Le respondió Babalú-Ayé.

—La ayuda te la darán estos dos perros leales —dijo Changó y le entregó dos hermosos perros que le servirían de ayuda y de protección contra los asaltantes.

Pero en esos instantes regresó el dios Ogún, dueño de los hierros, y lleno de furia dijo: «No regales lo que no es tuyo. Los perros son míos.»

—Pero no los cuidas y por lo tanto han dejado de pertenecerte. Además, él los necesita y tú no.

Babalú-Ayé se marchó con sus dos perros famosos. Y desde ese día y por el motivo anteriormente señalado, Ogún y Changó se odian a muerte.

Según otro appataki, Olofín o sea, Olodumare, el Supremo Creador, un día dividió sus poderes sobrenaturales o Aché, entre sus muchísimos hijos. A Ochún le dio el río; a Changó, el trueno; a Oyá, la centella; a Ogún, los metales; a Orúnmila, el poder de adivinar; a Elegguá, ser el mensajero de los dioses y el que abre el camino. Cuando le tocó el turno a Babalú-Ayé, Olodumare le preguntó: «¿Y tú qué quieres hijo?» En aquella época, el orisha era joven y muy enamorado, de modo que le respondió a Olofín: «quiero que me des el poder de tener aventuras con todas las mujeres que viven en este mundo».

—¡Concedido! —Le respondió Olodumare. Pero añadió: —Con una condición: que los jueves Santos no tendrás contacto con mujer alguna.

Babalú-Ayé respetó la orden divina por algún tiempo, pero se enamoró de una mujer en Semana Santa y el Jueves Santo la hizo suya. Y quién les dice a ustedes, que cuando se despierta al siguiente día, se encuentra que tiene todo el cuerpo lleno de llagas.

—Es el castigo divino, por no haber respetado las órdenes de Olodumare —se dijo aterrado.

La lepra estaba devorando a Babalú-Ayé. Por más que rogó a Olodumare su perdón, no lo consiguió y finalmente murió en medio de espantosos sufrimientos.

Su muerte llenó de tristeza a las mujeres del mundo. Y entre lágrimas le pidieron a Ochún, que es la diosa del amor, que reviviera a Babalú-Ayé.

Ochún fue al palacio de Olodumare y esparció por todas

partes su famoso *oñí*, que es algo que ella posee y que tiene el poder de despertar las pasiones más enloquecedoras en los hombres. El oñí revivió en el viejo Olodumare ansias enormes de vivir. Y sabio como es, comprendió en seguida que era el oñí de Ochún quien le tenía tan feliz. Olofín le rogó a Ochún: «Dame un poco de oñí, porque me siento joven de nuevo.»

Ochún entonces puso en práctica la parte final de su estratagema, diciéndole a la deidad: «Si resucitas al más grande de los dioses del amor: Babalú-Ayé, te lo daré.»

—Concedido —respondió Olofín, quien ya de antemano había decidido resucitar a Babalú-Ayé pues su «muerte» era en realidad un castigo.

Ochún le dio oñí a Olofín. Y éste le dio la vida a Babalú, llenando de alegría a las mujeres.

Babalú-Ayé es un dios al que le gusta estar entre los muertos. Las muletas son su símbolo. Su collar es de cuentas negras. O de cuentas blancas con rayitas azules. Es el dueño del *Charara*, la escoba hecha con racimos de palmiche, con la que se «barren» las malas influencias. El miércoles es su día. Los sacos de yute son otro símbolo de este dios. Y los fieles que son curados por él, usan ropas o hábitos hechos con sacos de yute, como muestra de agradecimiento, o en cumplimiento de una promesa. Le agradan las palomas y las gallinas. Le enloquecen el tabaco y la manteca de coco, conocida como orí.

En las fiestas, si se posesiona de un creyente, actúa como si estuviera enfermo y camina con dificultad. Las crisis del poseído son terribles, porque es como si las llagas de Babalú, quemaran en su piel.

La fruta preferida del dios es la pitamaya. Su palo sagrado: guayaba. Su yerba, el cundiamor. Su animal predilecto, el chivo. De las aves, prefiere el gallo jabado. Su comida más apreciada, la harina agria. Y su bebida, el aguardiente.

Si en África fue temido, en Cuba es venerado. Si en la tierra de nuestros mayores era cruel e implacable, en nuestra isla, Babalú-Ayé se convirtió, en el dios humanitario, generoso y comprensivo, que no abandona jamás a sus hijos enfermos.

San Lázaro, identificado en la religión Lucumi o Yoruba, con Babalú-Ayé, el orisha o dios, que protege a los enfermos de la piel y la sangre.

OGÚN

Es el dios del hierro y de la guerra. El orisha que no deja pasar por su lado a Changó, sin retarlo a duelo. Las guerras entre los dos hermanos son famosas en todo el África y por supuesto en nuestra isla.

Ogún era muy venerado en África y también en Cuba, porque es el dueño de todos los metales. Es el único orisha que puede manejar el hierro. En el pasado, desde los instrumentos de labor, hasta las espadas, se hacían de hierro. Quien no tuviera la ayuda del dios, no podía trabajar el hierro, ni usar el cuchillo, la espada o el hacha. Ogún fue y sigue siendo el protector de los guerreros. Él mismo, es invencible guerrero. Todas las labores que tengan que ver con el uso de metales, están protegidas por Ogún. Desde el carnicero hasta el herrero, deben estar a bien con este orisha, de aspecto terrible, cruel y duro, pero nunca abusador y mucho menos, perverso.

En las batallas, Ogún nunca se queda atrás. Siempre es el primero, siempre va la vanguardia. Además, como es el dueño del hierro, también es cirujano. Él puede operar, hacer marcas a sus iniciados, o cortar las partes enfermas del cuerpo.

Por si no lo sabe, jamás invoque el nombre de Ogún en vano. Jamás ponga por testigo a Ogún, a la hora de un juramento, si no va a cumplirlo, porque si falta a su palabra, toda la furia del orisha caerá sobre usted.

Si bueno como guerrero, mejor lo es como cazador. Pídale ayuda a Ogún antes de ir a cazar y verá como tiene muchos éxitos. Decía mi bisabuelo, que Ogún lleva una piel de tigre

71

en el hombro. Le gusta la soledad, es áspero. Le molesta que lo interrumpan. Castiga por lo general, provocando accidentes sangrientos. Para que no le estorben, a veces se disfraza de labrador, de cazador, de guerrero, de herrero o de carnicero. Y además es dueño de todas las tierras que están sin cultivar.

Como ya hemos dicho, Ogún tiene dos compañeros inseparables a la hora de la guerra: Ochosi, y Elegguá. Cuando se unen los tres, son invencibles.

Su enemigo de siempre lo es Changó. La historia más aceptada acerca de la enemistad entre los dos hermanos dice que Ogún cometió incesto con su madre, robándole su cariño al padre. Cuando Changó, que era un hermano menor, creció y conoció la infamia, decidió tomar venganza. Por aquella época, Ogún tenía como compañera a Oyá. Y Changó, valiéndose de sus recursos de conquistador, le robó la esposa a Ogún y la hizo enloquecer de amor. Al saberlo, Ogún dijo: «Aunque es el dios del trueno, no le temo. Recobraré mi mujer y lo destruiré.» Según el viejo appataki, en esta pelea, Ogún resultó vencedor, pero no consiguió que Oyá volviera con él.

Cuenta otro viejo appataki, que un día, Ogún y Changó se encontraron en el monte. El temible guerrero le dijo: «Hace tiempo que no peleamos, Changó. ¿Quieres empezar?»

—Sí. Quiero pelear contigo, pero sin prisa, porque nos sobra toda la vida. Bebamos primero. ¿No tienes sed?

—Mucha. Verte, me reseca la garganta.

—Pues bebe de tu aguardiente, que yo espero. —Fue la respuesta de Changó, que sabía que su hermano era muy aficionado al trago y que la bebida lo emborrachaba sin mucha dificultad.

Cuando Ogún hubo bebido más de la cuenta, le dio por ser belicoso y le gritó a Changó: «Defiéndete, que te voy a destrozar.»

Ogún no pudo conseguirlo, porque estaba casi borracho. Y Changó lo venció fácilmente.

Cuando el dueño del hierro despertó y comprendió que Changó había sido más astuto, se dijo: «Nunca lo perdonaré que me haya engañado. Jamás me reconciliaré con él.»

Conozco más de 40 appatakis que cuentan las luchas de los dos hermanos, las tretas de que se valen uno y otro para vencer, pero todos en esencia, son parecidos. Los que conocen nuestra religión saben que jamás Ogún y Changó deben estar juntos. Se evita que «bajen» juntos, es decir que se posesionen en una misma noche de dos creyentes durante una fiesta religiosa, pues terminará en lucha la fiesta, por sagrada que sea.

Ogún es identificado con San Pedro. Otros, los menos, lo identifican con San Miguel Arcángel.

Los actos en honor de este dios, se celebran en el campo, o al pie de una ceiba, que es su árbol predilecto. Su comida favorita es el ñame. Su collar, consiste en una cadena de hierro de la que cuelgan siete piezas de hierro: una flecha, un yunque, un pico, un hacha, un machete, un martillo y una llave. Hay fieles que prefieren usar un collar con siete cuentas carmelitas seguidas de siete negras. A Ogún le gusta beber sangre. En las fiestas religiosas, cuando se adueña un creyente, baila danzas guerreras, o finge despejar el camino en el monte, para que pasen los guerreros que imaginariamente le siguen.

Es conocido en nuestra religión que el que es hijo de Ogún, cuando es poseído por el dios, se puede hasta beber una botella de aguardiente. Y yo conozco un caso que vi con mis propios ojos, de un señor que asistió a un acto religioso por curiosidad y que ni siquiera sabía que era hijo de Ogún. Pues a este señor, muy serio, que jamás bebía ni cerveza, se le montó Ogún y bailó como el más consumado bailarín, a pesar, de que no le gustaba el baile y se bebió solito su botella de aguardiente y quedó como si nada. No se emborrachó en toda la noche.

Los colores de Ogún son el verde y el negro. Su fruta: el zapote; el vegetal el ñame. Su palo sagrado, vencedor. Su yerba, el eucalipto. Su animal preferido, el toro, que no se le sacrifica a menudo, porque es muy costoso. Le gustan para la comida, el pescado y la jutía ahumada. Su bebida, el aguardiente de caña. Su mineral, es por supuesto el hierro.

San Pedro o San Miguel Arcángel se identifican en Santería con Ogún, el oricha o dios del hierro y la guerra.

OSAÍN

Osaín es el orisha que conoce los secretos de las yerbas medicinales. Conoce también la magia que encierran ciertas yerbas misteriosas. Como es el dueño de las yerbas, cuando el sacerdote o el creyente van a utilizar algunas de ellas, se le hacen las debidas ofrendas a Osaín, para que tales yerbas se llenen de los más poderosos efectos curativos.

En nuestra religión, cada planta tiene su aché, es decir, un poder sobrenatural. El aché puede ser beneficioso, o puede ser dañino. Para Osaín, que vive en el bosque, no tienen importancia las plantas que cuidan los agricultores. No le importan tampoco las que sirven de alimento al hombre. Sólo le interesan las que tienen poderes curativos o mágicos.

Los sacerdotes al servicio a Osaín, son grandes yerberos y conocen las propiedades curativas o mágicas de cientos de plantas distintas.

Osaín es pequeñito. Tiene una sola pierna: la derecha. Y un brazo, el izquierdo. Tiene una oreja muy grande, que no le sirve, pues no puede oír con ella. Y otra, chiquitica, con la que oye hasta el rumor de los gusanos. Se pasa la vida fumando en pipa.

Los sacerdotes de Osaín, cuando van al monte a recoger yerbas para curaciones, milagros o ceremonias, se abstienen de tener relaciones sexuales la noche anterior, pues deben estar puros al enfrentarse a las yerbas del orisha. Si se encuentran con un amigo, no deben saludarlo. Ya en el monte, hacen ofrendas y sacrificios, de los que no se debe hablar, a fin de que Osaín dé el debido aché a las plantas y yerbas que se proponen recoger.

Osaín no tiene padre ni madre. Es un dios casto, y sus hijos no deben casarse. Fuma tabacos y se aparece a los trasnochadores para decirle: «¿Me da candela por favor?» Es un gran médico. Y lo son también sus sacerdotes.

A este dios se le guarda en el carapacho de una jicotea o en un güiro. Las mujeres no pueden tener a Osaín hasta que se les retire el flujo menstrual. Entonces están autorizadas para tener un Osaín incompleto.

El tributo que los yerberos le pagan a Osaín cuando le piden ayuda al dios en el monte, consiste en un chorro de aguardientes de caña, unas monedas y un poco de tabaco. Le encanta que sacrifiquen jicoteas en su honor.

En los bailes, porque es lisiado y casto, no baja al güemilere. Es decir, que jamás se posesiona de ningún creyente.

Muchos appatakis cuentan de qué modo Osaín quedó lisiado. Uno de ellos, dice que Osaín se creyó tan poderoso como Orúnmila y comenzó a hacerle víctima de sus brujerías. Orúnmila le pidió ayuda a Changó, que como sabemos, tiene fama de ser un gran adivino, aunque no tanto como Orúnmila. Changó descubrió que era Osaín el que estaba molestando a Orúnmila y le dijo: «Yo te libraré de ese Ser que te molesta.» Lleno de furia, fue en busca de Osaín, acompañado de su esposa, Oyá. Tenían el propósito de castigarlo y de apoderarse de los secretos que conocía acerca de las plantas. Oyá llegó primero y le brindó aguardiente. Y cuando estaba medio borracho, la esposa de Changó empezó a apoderarse de sus secretos. En eso, Osaín se despertó y al verlo, le gritó: «Te castigaré, por atrevida.»

Cuando luchaban, apareció Changó atraído por los gritos de Oyá pidiendo ayuda. Changó le lanzó un rayo a Osaín y le arrancó ·el brazo izquierdo. Osaín corrió en busca de un güiro donde escondía peligrosas yerbas mágicas, para usarlas contra Changó. Éste, le lanzó otro rayo. Y le arrancó de cuajo la pierna derecha. Osaín quiso lanzarle el güiro con las yerbas a Changó, pero éste le lanzó otro rayo para dejarlo ciego. Osaín tuvo tiempo de volver la cabeza y el rayo le alcanzó la oreja, dejándola muy chiquitica. Osaín hubiera sido destruido, si no hubiera llegado en su ayuda el hermano y enemigo de Changó, el temido Ogún, quien convirtiéndose en pararrayos, impidió que los rayos siguieran haciendo daño a Osaín.

Desde entonces Osaín es chiquitico, tiene un solo brazo, una sola pierna y camina dando salticos.

Se le identifica con San José.

Osaín, el dios de las yerbas medicinales en Santería, se identifica con San José.

OCHOSI

Guerrero y además cazador. Es el protector de los cazadores. Inventó el arco y la flecha. Y enseñó a los cazadores
a usar toda clase de armas.

Vive en el monte. Y es un gran amigo de Osaín, quien le
revela a veces los secretos de sus yerbas mágicas. Ochosi salva
a los cazadores en peligro y hace caer a los animales salvajes en las trampas que les tienden. Los que le respetan,
tienen su ayuda. Los que se burlan de él o lo desdeñan, pueden sufrir accidentes mientras cazan o ser atacados por una
fiera peligrosa.

Ochosi, además de cazador es médico y adivino. Unido a
Elegguá y a Ogún en una lucha, como ya sabemos, es invencible. Algunos viejos dicen que Ochosi es el dueño de la
cárcel.

Su collar está hecho de cuentas verdes.

Un appataki muy viejo, cuenta cómo Ochosi llegó a ser
un dios. Resulta que él era un cazador muy diestro. Y un
día se le apareció Orúnmila, lleno de preocupación. El dios
le dijo: «la suprema deidad, Olofín, quiere tener una linda
codorniz que hay en esta zona, pero yo no sé cómo cazarla.
Si lo consigues, tendrás la bendición de Olofín».

Ochosi fue en busca de la codorniz, la atrapó y la llevó
para su casa y allí la puso en una jaula.

Al siguiente día, Orúnmila fue a buscar la codorniz, de
acuerdo con lo que le prometiera Ochosi. Pero la jaula estaba
vacía.

—Yo traje la codorniz —dijo Ochosi.

—¿Dónde está? —preguntó Orúnmila.

—Yo no sé nada —señaló la madre de Ochosi.

Pero la buena mujer mentía. La pobrecita, viendo el día anterior la codorniz en la jaula y creyendo que era un regalo de su hijo, la mató y la cocinó y se la comió, pero no se atrevía a decírselo al dios.

Ochosi prometió cazar una nueva codorniz ese mismo día. Y no le fue difícil cumplir su promesa. Cuando se la entregó a Orúnmila, este partió a llevársela a Olofín. La suprema deidad, agradecida, hizo dios a Ochosi y lo convirtió en el rey de los cazadores. Humildemente, Ochosi le dijo: «No perdono al que me robó la codorniz que cacé para ti. ¡Oh señor poderoso, permite que cuando lance mi flecha, se clave en el pecho del ladrón!»

—El favor te es concedido, pero te pesará habérmelo pedido.

Ochosi lanzó la flecha, utilizando el arco. Y ésta se clavó en mitad del pecho de su madre idolatrada. Ese día, con lágrimas en los ojos Ochosi juró: «Dejaré de cazar, aunque ayudaré a los cazadores. Por mi culpa ha muerto mi madre.»

A Ochosi se le identifica con San Norberto. Su collar está hecho de cuentas rojas y negras. Sus símbolos son la cárcel, el arco y la flecha. Se le sacrifican gallinas, guineos y carneros.

Cuando se posesiona en una fiesta religiosa de un creyente, finge disparar flechas.

Sus colores preferidos son el carmelita y el verde. Su fruta predilecta es el mango. Su vegetal, el ñame. Su palo sagrado, cambia voz. Su yerba: embeleso. Animal preferido: el venado. Bebida: Aguardiente de caña.

ORICHA OKO

Dios de la agricultura, y de las cosechas. Su misión más importante es resolver los problemas y discusiones que surgen entre los orishas, que a menudo pelean como si fueran seres humanos.

Durante la luna nueva, las mujeres le rinden culto a este dios. Cuando terminan las cosechas, se le celebran muchas fiestas para darle las gracias.

En Cuba la mayoría de sus sacerdotes son mujeres. Se le representa como a San Isidro el Labrador.

Le encanta el ñame. Su collar se hace con cuentas de color lila.

San Norberto

*Dios protector de los guerreros, y de los cazadores,
símbolo de la Justicia. Su nombre en Santería: Ochosi.
Se le identifica con San Norberto.*

LOS IBEYI

Son hermanos gemelos. En *lengua,* el mayor se llama Taebo y el menor, Kainde. Representan la fortuna, la buena suerte, la prosperidad. Se les amarra, para impedir la separación,
pues si esto ocurre, todo el poder que tienen, desaparece.

Son alegres, divertidos, buenos, generosos y cordiales. Les
gusta jaranear, pero sus travesuras no hacen daño a nadie.

Según un viejo appataki, son los hijos de una noche de
amor enloquecido, entre Changó y Ochún. Pero como sus
padres pasaban tanto tiempo lejos de ellos, los dos hermanos,
que eran muy traviesos, recorrían las cercanías, haciéndole
bromas a los vecinos y ayudando a los enfermos y a los
humildes.

Sus collares son de los colores de Ochún y de Changó, que
son sus padres.

No se apoderan de los creyentes en las fiestas. Pero los
bailadores danzan en su honor, imitando los salticos de los niños. Son muy glotones y les encantan los dulces.

Se les identifica con San Cosme y San Damián, santos,
que fueron famosos cirujanos en época.

San Isidro el Labrador es identificado en la religión Yoruba con Oricha Oko, dios de la Agricultura y las Cosechas.

CORRESPONDENCIA ENTRE LOS DIOSES YORUBAS Y LOS SANTOS CATÓLICOS

Ochún	La Caridad del Cobre
Oyá	La Candelaria
Yemayá	La Virgen de Regla
Babalú Ayé (Chopono)	San Lázaro
Olodumare	Dios, Jesucristo, el Santísimo Sacramento
Obatalá (macho y mujer)	Purísima Concepción
Orúnmila u Orunla	San Francisco de Asís
Elegguá (Echú)	Santo Niño de Atocha
Changó	Santa Bárbara
Ogún	San Pedro, San Miguel Arcángel
Osaín	San José
Ochosi	San Norberto
Oricha-Oko	San Isidro el Labrador
Los Ibeyi	San Cosme y San Damián

Los Ibeyi (Taebo y Kainde), hermanos gemelos en Santería, son identificados con San Cosme y San Damián, famosos cirujanos en su época.

HABLAN LOS ORISHAS

Los santeros y babalawos cuentan con diferentes medios para conocer la opinión de los dioses, averiguar el futuro, aconsejar a los que les piden ayuda, o recomendar yerbas medicinales a los enfermos.

En Santería, los medios de adivinación más populares son el *Coco*, los *Caracoles*, el *Tablero de Ifá* y el *Ékuele*.

En otro libro que estoy preparando y que si Orúnmila me da energías para terminar, les contaré todos los misterios que pueden ser revelados sobre estos medios de hablar con los dioses. Aquí, me limitaré a dar una información breve, porque, y no me canso de repetirlo, el propósito de este librito es despejar dudas, de presentar la Santería tal cual es y de decir las cosas tan claramente, que hasta el que no sepa nada de nuestra religión, entienda.

Empecemos por el *Coco*.

EL COCO O BIAGUÉ

Este método de adivinación se llama Biagué en honor del primero que lo utilizó.

De acuerdo con un viejo appataki, Olofín bajó a la tierra y le agradó tanto el cocotero, que decidió darle un don. Olofín le dijo al árbol: «no sólo le darás alimentos y grasas a los hombres, sino que también todos los orishas podrán utilizarte para adivinar el futuro. Los pedazos de tu fruto, tendrán un significado, que sólo los dioses podrán descifrar».

Un sacerdote llamado Biagué fue el primero en aprender los secretos para adivinar, mediante el uso del coco. Antes de morir, Biagué le enseñó sus secretos a su hijo Adiatoto, al que otros, llaman Adoto.

Cuando el adivino murió, sus dos hijos adoptivos, que eran de mal corazón, despojaron a Adiatoto de todos sus bienes, dejándolo en la mayor miseria. Adiatoto reclamó ante el jefe de la aldea sus derechos. Y el jefe de la aldea dijo: «que los hijos adoptivos de Biagué traigan pruebas de que son los legítimos dueños de la herencia».

Los hijos adoptivos no consiguieron las pruebas y entonces el jefe de la aldea, que sabía que el coco nunca miente, le pidió a Adiatoto que los consultara. Los cocos dijeron que Adiatoto era el único heredero de los bienes de Biagué.

Adiatoto enseñó a otros hombres a usar el coco como medio para encontrar la verdad.

Hay otras historias en torno al coco, pero las contaré en otra oportunidad.

Para adivinar con el coco, el santero toma un coco seco,

lo parte, toma cuatro pequeños pedazos (llamados Obinús) y los enjuaga con agua, preferiblemente de río. A cada una de las esquinas de cada pedazo, le hace las marquitas que corresponden al orisha que será consultado. Si por ejemplo, le harán las preguntas a Ochún, se sacarán cinco pedacitos del coco, porque esas cinco marquitas corresponde al número de Ochún, o Caridad del Cobre 5.

El santero y el que pregunta, están dispuestos entonces a hacer la pregunta, que debe ser simple y directa, ya que el Obi o coco, responde *sí* o *no*. Mientras más clara sea la pregunta, más clara será la respuesta.

No se crea que cualquiera puede tirar el coco. El coco es un pedazo seco de una fruta. Lo que le infunde fuerza y poder para responder es el Aché, que es la gracia, los poderes, las virtudes que posee el santero para hablar con el orisha.

Antes de utilizar los cuatro pedazos de coco, se invocará a Biagué y Adiatoto, pidiéndoles ayuda, pues fueron los primeros en usarlos para adivinar. Pero no sólo se pide permiso y ayuda a los dos adivinos, sino también a los dioses y al orisha al que se va a hacer la pregunta. Luego los pedazos del coco se pasan en complicado ritual por encima del cuerpo de que desea saber.

Entonces comienza la indagación. Los cuatro cocos se lanzan al piso.

Los cocos pueden caer en las siguientes posiciones:

ALAFIA

Cuando los cuatro pedazos caen con la parte blanca del coco hacia arriba. Significa que se responde SÍ a la pregunta. Anuncia felicidad y salud.

OTAGÜE

Tres pedazos de piezas blancas hacia arriba. Y una prieta, hacia abajo. Significa que ES POSIBLE. Se deben tirar los cocos de nuevo para confirmar si responde lo mismo. Hay esperanza y desconfianza en la respuesta.

EYIFE

Dos pedazos blancos hacia arriba. Y dos hacia abajo. Significa **SÍ** a la pregunta. Un sí rotundo, definitivo.

OKANNA SODDE

Un pedazo blanco hacia arriba y tres oscuros hacia abajo. La respuesta es NO. Anuncia tragedia. Hay que estar alerta.

OYEKUN

Los cuatro cocos (u obinús) caen con la parte prieta hacia arriba. Es letra mala. Dice que NO. Habla de Muerte y de sufrimientos. Cuando sale, el sacerdote lleva a cabo un complejo ritual para librar al interrogante de problemas. Sólo podemos decir que el sacerdote enciende una vela a los espíritus. Luego toma los cuatro pedazos de coco empleados en la adivinación y los pone en una jícara con agua y ocho pedazos de manteca de cacao, para refrescarlos.

Alafia. *El coco responde* si
a la pregunta del consul-
tante.

Otagüe. *El coco informa*
que lo que se le pregunta
es posible.

Eyife. *El coco dice que* si *de un modo rotundo.*

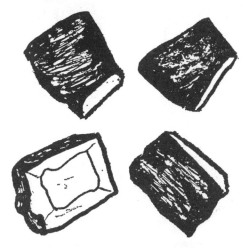

Okanna Sodde. *La respuesta es no. Anuncia además, tragedia.*

Oyekun *es letra mala. Dice que* no *y habla de*
tragedia, muerte y sufrimientos.

LOS CARACOLES

El *diloggun* u oráculo de los caracoles se usa para adivinar, para pedir consejo, para saber, para curar. Por ellos hablan los dioses lucumíes. Pueden ser consultados por todos los santeros y santeras.

Está compuesto de 16 caracoles cauris a los que se les ha quitado el fondo, para que tengan estabilidad y al ser lanzados, puedan caer de un lado o del otro.

La adivinación se hace en el suelo, sobre una estera, estando el santero y el creyente, descalzos. Luego de un complicado ritual, el santero le pide al creyente que escriba en un papel, su nombre y fecha de nacimiento. Entonces invoca a Olodumare, a los muertos, a los orishas. Entonces sopla los caracoles para darles aché, o sea, poderes sobrenaturales. Finalmente, le pide al cliente que también lo haga.

El santero tira los caracoles en la estera. Y cuenta los que han caído con la abertura natural hacia arriba. Las diferentes posiciones en que pueden caer los caracoles, se llaman *Letras*, *Odus* o *Orduns*. Por ejemplo, el primer ordun es *Okanasorde*, en el que, de los 16 caracoles, *uno* solo cae con la abertura hacia *arriba*. Este *ordun*, como todos, tiene un refrán. En este caso el refrán es: «Por uno empezó el mundo. Si no hay bueno, no hay malo». El santero interpreta el significado de acuerdo con sus conocimientos y su aché.

A continuación, el santero vuelve a tirar los caracoles. Y si por ejemplo, caen sólo *dos* caracoles con su abertura natural *hacia arriba* estamos en presencia del *ordun Eyioco*, cuyo refrán es: «Lucha entre hermanos». El santero interpreta cuidadosamente y pasa a explicar y a interpretar el significado.

95

Y así sucesivamente, van saliendo y formándose las diferentes *letras, orduns* u *odus,* con sus nombres: *Okanasorde, Eyioco, Oggunda, Iroso,* etc., que el sacerdote interpreta. Además, cuenta los misteriosos significados que tiene cada *ordun,* los dioses que están hablando por el caracol y señala el *ebó* (sacrificio) que debe hacerse para conjurar los males. Mientras más experimentado es el santero, mejor interpreta el caracol.

De los 16 *odus* que pueden ser formados, sólo 12 pueden ser leídos por el santero. El 13, el 14, el 15 y el 16 sólo pueden ser descifrados por el babalawo.

Debemos aclarar que en los caracoles, *Iré* significa esperanza, lo bueno. Y que cuando hay *Iré,* las cosas van bien en la adivinación. Pero si hay *Osobo,* hay aspectos desfavorables, en lo que están diciendo los caracoles. *Osobo* significa mala suerte. El santero sabe como conjurar la mala suerte. También sabe como ayudar al *Iré,* que es la buena suerte, el Bien.

CARACOLES

OKANASORDE (1)

Es la letra que se forma cuando sale un solo caracol con la abertura natural hacia arriba.
Refrán: Por uno comenzó el mundo. Si no hay bueno no hay malo.
Indica: Si no hace algo malo en estos momentos, está pensando hacerlo. En su casa hay enfermo, llévelo al médico, pues está en peligro, (etc.).

EYIOCO (2)

Dos caracoles con su abertura natural hacia arriba.
Refrán: Lucha entre hermanos.
Indica: En su familia, alguien va a traicionarlo. Está atravesando una mala situación. Se verá envuelto en líos judiciales. Puede quedar baldado, (etc.).

Oggunda (3)

Tres caracoles con la abertura natural boca arriba.
Refrán: Discusión con tragedia.
Indica: Que usted quiere partirle la cabeza a alguien con un hierro, pues Ogún lo está presionando. Va a verse envuelto en líos. No beba. No pelee ni con su esposa. Va a encontrar algo que perdió, (etc.).

Eyorosun o Iroso (4)

Cuatro caracoles con la abertura natural hacia arriba.
Refrán: Nadie sabe lo que hay en el fondo del mar.
Indica: Hay una persona de lengua viperina que tiene malas intenciones. Cuídese. Es persona pendenciera. Le hará daño a usted y a los que quiere, si no hace las cosas que le vamos a aconsejar. Puede ser víctima de un robo, (etc.).

Oche (5)

Cinco caracoles con la abertura natural hacia arriba.
Refrán: Sangre que corre por las venas.
Indica: Que el que se registra, o sea, el que se está tirando los caracoles, es hijo de Ochún. Aunque tiene suerte, las cosas no le salen bien, porque al final todo se le vira al revés. Es inestable. Todos sus males son pruebas que le envía la Caridad del Cobre, (etc.).

Obara (6)

Seis caracoles con la abertura natural hacia arriba.
Refrán: De la leyenda nace la verdad. El rey no miente.
Indica: Que usted es persona mal mirada. Su dinero siempre se le hace sal y agua. Usted dice mentiras. Préstele atención a su esposo o esposa. No se meta en negocios en estos momentos. No se adelante a ayudar a nadie dándole la espalda, (etc.).

7 - SECRETOS DE LA SANTERÍA

Oddi (7)

Siete caracoles con la abertura natural hacia arriba.
Refrán: Donde se hizo el hoyo o el entierro por primera vez.
Indica: El miedo a la Muerte. Usted es nervioso, no duerme bien, piensa que los muertos le persiguen. Tres personas se interesan por usted. No le haga caso a cierta persona que le anima a pelear con otros. No coma ni beba en casa de nadie, (etc.).

Eyeunle (8)

Ocho caracoles con la abertura natural hacia arriba.
Refrán: La cabeza lleva al cuerpo. Un solo rey gobierna al cuerpo.
Indica: Que usted es hijo de Obatalá, el dueño de todas las cabezas. Es noble, demasiado bueno. Por eso la gente no le da méritos. Tenga cuidado, que lo van a robar. Ha perdido la paz mental y está asustado. No deje que lo influencien, (etc.).

Ossa (9)

Nueve caracoles con la abertura natural hacia arriba.
Refrán: Su mejor amigo es su peor enemigo.
Indica: Líos en la casa. Grandes problemas con el consorte. Líos con la familia y posiblemente haya que ir hasta los jueces. Estos problemas los está buscando una sola persona. El santo le aconseja que cambie de ambiente, es decir, que se mude. No se acerque a la candela, pues se va a quemar, (etc.).

Ofun (10)

Si diez caracoles caen con la abertura natural hacia arriba, se forma la letra *Ofun*.
Refrán: Donde nace a maldición.
Indica: El que maldice es maldecido, el que hace daño, es dañado. No discuta con sus padres si están vivos, ni con personas mayores. Sus proyectos están al borde del abismo.

Y eso le pasa, porque no le gusta trabajar, sino que otros lo hagan por usted. Usted es víctima de una maldición, (etc.).

Ojuani Chober (11)

Cuando once caracoles caen con la abertura natural hacia arriba.
Refrán: Sacar agua con una canasta. (Mal agradecimiento.)
Indica: Que la muerte lo persigue. Ofrézcale una misa. Domine su ira. Y póngase en paz con su dios. Reconcíliese con los suyos. No tome venganza pues Oyá y Elegguá lo estan protegiendo, (etc.).

Eyila Chebora (12)

Cuando doce caracoles salen con la abertura natural hacia arriba.
Refrán: Fracasado por revoltoso. Cuando hay guerra, el soldado no duerme.
Indica: Que se cuide, pues va a ir preso. Todos se quejan de usted. Tiene muchos enemigos. Es hijo de Changó y le debe algo, que debe pagarle. Usted ha fracasado en todo. Y eso le pasa porque se cree hijo de otro santo, siendo el suyo, Changó. No juege con candela, que se quema, (etc.).

* * *

Los números 13, 14, 15 y 16 del *Diloggun* u oráculo de los caracoles, como ya dijimos, no pueden ser registrados por un santero. Si sale uno de esos 4 números, el santero envía al creyente al babalawo que es el autorizado para interpretar esos números.

* * *

Cuando se termina el proceso de adivinación, en el transcurso del cual, el santero ha dado muchos consejos e indicaciones al consultado, se le pregunta a los santos, a Eledá, o sea, el Santo Ángel de la Guardia. y a los muertos, si el cliente tiene que hacer sacrificios.

1. — OKANASORDE: *Un caracol con la abertura natural hacia arriba.*

2. — Eyioco: *Dos caracoles con la abertura natural hacia arriba.*

3. — Oggunda: *Tres caracoles con la abertura natural hacia arriba.*

4. — Eyorosun o Iroso: *Cuatro caracoles con la abertura natural hacia arriba.*

5. — OCHE: *Cinco caracoles con la abertura natural hacia arriba.*

6. — OBARA: *Seis caracoles con la abertura natural hacia arriba.*

7. — Oddi: *Siete caracoles con la abertura natural hacia arriba.*

8. — EYEUNLE: *Ocho caracoles con la abertura natural hacia arriba.*

9. — Ossa: *Nueve caracoles con la abertura natural hacia arriba.*

10. — OFUN: *Diez caracoles con la abertura natural hacia arriba.*

11. — Ojuani Chober: *Once caracoles con la abertura natural hacia arriba.*

12. — E̲ʏɪʟᴀ C̲ʜᴇʙᴏʀᴀ: *Doce caracoles con la abertura natural hacia arriba.*

EL ÉKUELE Y EL TABLERO DE IFÁ

Los más respetados en nuestra religión son el *Ékuele* y el *Tablero de Ifá*, pues a diferencia de los cocos y los caracoles, por ellos sólo habla *Orúnmila*, el dios de la sabiduría y por su boca habla la deidad suprema o sea, *Olodumare*.

Los sacerdotes de Orúnmila son los babalawos. Para llegar a ser babalawo, se necesitan largos años de experiencia y la ayuda de otros babalawos que inicien al creyente en sus secretos. Los misterios que encierran el Tablero de Ifá y el Ékuele, son poco conocidos, porque los babalawos no hablan de ellos.

El Ékuele se compone de doce collares que están hechos de distintas semillas.

Por las mañanas, luego de saludar a Olodumare, Supremo Creador, el babalawo tira los Ékueles para saber cuál de ellos debe usar ese día.

Los viejos appatakis cuentan que el Ékuele perteneció en el pasado a Changó, quien se lo entregó a Orúnmila, cansado de adivinar desventuras.

EL TABLERO DE IFÁ

El Tablero de Ifá está hecho de una tabla de madera redonda, llamada *Opón Ifá*. En las esquinas del tablero, están grabadas las cabezas de los dioses que controlan las cuatro esquinas del mundo. Obatalá domina el Norte; Changó, el Este; Oduduwa, el Sur; y Elegguá, el Oeste. El tablero también puede ser rectangular. Y para trabajar con él, el babalawo se vale de 16 ó de 17 nueces de palma.

113

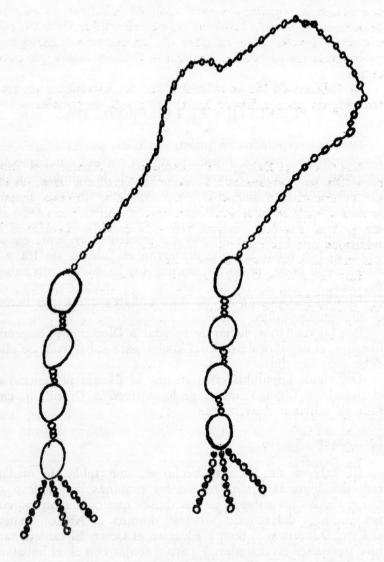

*Por el Ekuele habla Orúnmila y se compone de doce collares
hechos con distintas semillas.*

Las combinaciones posibles que se pueden llevar a cabo con el Tablero de Ifá, alcanza la cifra de 4.096 *odus* o letras, que tienen un significado particular. El babalawo es más respetado mientras más historias conoce alrededor de estos *odus* u *orduns* y valiéndose de ellos da los consejos adecuados y recomienda los sacrificios necesarios. O la medicina que puede curar.

El Tablero de Ifá es utilizado por los sacerdotes de nuestra religión para celebrar los rituales más importantes.

* * *

Los Cocos, el Diloggun (o caracoles), el Ékuele y el Tablero de Ifá, son necesarios a la santería. Gracias a ellos, los creyentes encuentran consuelo, paz, curación. Muchos hogares se han salvado de la destrucción, muchos hijos han vuelto con sus padres, muchas guerras han sido evitadas, gracias a los mensajes que los orishas u Orúnmila han enviado, mediante sus vehículos de comunicación con el humano.

Los incrédulos dicen que los métodos nuestros de adivinación son puro fanatismo. ¿Y si lo son, porqué realizan tantos milagros? ¿Por qué hasta personajes importantes, cultos, o que practican otras religiones, visitan en secreto a santeros o babalawos, en busca de ayuda o de consuelo?

Nuestra religión ha sido muy atacada. Pero obsérvese que la Santería no ataca a las otras religiones, las respeta. No impide al que cree en los dioses Lucumíes, que crea en otros dioses y aun hasta en el espiritismo o en lo que considere conveniente. La Santería no se cansa de repetir que, mientras más dioses nos protejan, más puros seremos y más resguardados estaremos.

La Santería no es una religión de odios, de venganza, de intolerancia. Se cree en ella o no. Y si se cree, se le practica y se le respeta. Y mientras el creyente se adentra más y más en sus secretos, más puro se va volviendo, más comprensivo. Y sobre todo más generoso. Porque todos somos unos. Porque todos sufrimos. Y sólo los dioses pueden aliviarnos un poco la carga de nuestros sufrimientos.

¡Nuestro respeto, nuestras oraciones, nuestros sacrificios,

para los pobres esclavos, arrancados un día de su África natal, para trabajar para los hombres en esta isla y en otras partes de América! Ellos trajeron sus leyendas, sus sufrimientos, sus recuerdos, sus tambores, su amor a la Naturaleza y sobre todo, su religión, que renace y crece por días, porque cuando otros nos niegan la esperanza, los orishas lucumíes nos dicen: «Ven, que tengo un consuelo para tu pena. Y una frase de amor que seque tus lágrimas.»

ÍNDICE DE ILUSTRACIONES

ÍNDICE GENERAL

BREVE BIBLIOGRAFIA DE LITERATURA AFRO-AMERICANA

- Ifá en tierra de Ifá, J. M. Castillo
- Los Curanderos, Oscar González Quevedo
- El Vudú, los ritos mágicos, Gerardo Gallegos
- Africa en América Latina, Manuel Moreno Fraginals
- Música folklórica cubana, Rhyna Moldes
- Quiquiribú Mandinga (novela), Raúl Acosta Rubio
- El Monte (Igbo, Finda, Ewe Orisha), Lydia Cabrera
- La Sociedad Secreta Abakuá, Lydia Cabrera
- Anagó (vocabulario lucumí), Lydia Cabrera
- Refranes de Negros Viejos, Lydia Cabrera
- Oták Iyebiyé (Las piedras Preciosas), Lydia Cabrera
- Ayapá, cuentos de Jicotea, Lydia Cabrera
- Cuentos Negros de Cuba, Lydia Cabrera
- Por Qué, cuentos negros, Lydia Cabrera
- Yemayá y Ochún, Lydia Cabrera
- La Laguna Sagrada de San Joaquín, Lydia Cabrera
- Anaforuana (ritual y símbolos de la Sociedad Secreta Abakuá), Lydia Cabrera
- Francisco y Francisca (chascarrillos de negros viejos), Lydia Cabrera
- Regla Kimbisa del Santo Cristo del Buen Viaje, Lydia Cabrera
- Ida Po (sincretismo en cuentos negros de Lydia Cabrera), Hilda Perera
- Ayapá y otras Otán Iyebiyé de Lydia Cabrera, Josefina Inclán
- Homenaje a Lydia Cabrera (estudios y ensayos sobre la obra de Lydia Cabrera y los estudios afroamericanos)
- Crímenes de la Brujería, Enrique C. Henríquez
- Las culturas neoafricanas (las culturas de la negritud), Jahn
- Diccionario de Cubanismos más usuales (cómo habla el cubano), José Sánchez-Boudy
- Quiquiribú Mandinga, (novela), Raúl Acosta Rubio

—Francisco, el ingenio o las delicias del campo, Anselmo Suárez y Romero
—Pedro Blanco el negrero, Lino Novas Calvo
—Cayo Canas, Lino Novas Calvo
—El Negro que tenía el alma blanca, Alberto Insúa
—Autobiografía de un esclavo, Juan Francisco Manzano
—Ecue YambaO, Alejo Carpentier
—Bibliografía de un cimarrón, Miguel Barnet
—El Corredor Kresto, José Sánchez-Boudy
—El picúo, el fisto, el barrio y otras estampas cubanas, José Sánchez-Boudy
—Lilayando Pal Tu, José Sánchez-Boudy
—Iniciación a la poesía afro-americana, Oscar Fernández de la Vega y Alberto N. Pamies
—Teatro lírico popular cubano, Edwin T. Tolón (estudio teatro bufo)
—La poesía de Emilio Ballagas, Rogelio de la Torre
—Poesia negra del Caribe y otras áreas (antología), Hortensia Ruiz del Vizo
—Black Poetry of the Americas (antología bilingüe), Hortensia Ruiz del Vizo
—Pregones, José Sánchez-Boudy
—Aché, babalú, ayé (retablo afro-cubano-poesías), José Sánchez-Boudy
—Ekué, Abanakué, Ekué (ritos ñáñigos-poesía), José Sánchez-Boudy
—Leyendas de Azúcar Prieta (leyendas-poesía), José Sánchez-Boudy
—Alegrías de Coco (poesías), José Sánchez-Boudy
—Crocante Maní (poesía), José Sánchez-Boudy
—Afro-Cuban Poetry: De Oshun a Yemayá (the afro-cuban poetry of José Sánchez-Boudy), por Claudio Freixas
—A Guiro Limpio, José Sánchez-Priede
—Guiro, clave y cencerro (melodía negra), José Sánchez-Priede
—La poesía negra de José Sánchez-Boudy, René León
—Color de Orisha, Pura del Prado
—Songoro Cosongo, Nicolás Guillén
—El Son entero, Nicolás Guillén
—Tun Tun de Pasa y Grifería, Luis Palés Matos